POEMA DE MIO CID

# POEMA
## DE
# MIO CID

SIC VOS NON VOBIS

Edición facsímil del Códice de Per Abat, conservado en la Biblioteca Nacional

MADRID
1961

Edita: Servicio de Publicaciones del Ministerio de Educación y Ciencia
Imprime: Artes Gráficas Gaez, S. A. Arganda del Rey (Madrid)
Depósito Legal: M-20.626-1977
ISBN: 84-369-0189-4

MYO CID

Recibi este libro conserua y quira ofic...

... que ... y uno ... que de Cuentas ...

nes La dado ...

... del ...

Delos sos oios tan fuerte mientre lorando
Tornaua la cabeça y estaua los catando
Vio puertas abiertas y vços sin cañados
Alcandaras uazias sin piell[es]
E sin falcones y sin adtores mudados
Sospiro myo çid ca mucho [auie grandes cuydados]
ffablo myo çid bien τ tan mesurado
Grado a ti señor padre que estas en alto
esto me an buelto myos enemigos malos
Alli pienssan de aguiar alli sueltan las riendas
ala exida de biuar ouieron la corneia diestra
E entrando a burgos ouieron la siniestra
Meçio myo çid los ombros e engrameo la tiesta
[a]lbriçia albarffanez ca echados somos [de tierra]
[...] con grand ondra [...] en [...]
[...] la españa [...]
[...]
[...]
[...]
[...]
[...]
[...]
[...]
[...]

fasta q̄l q̄ gela diesse sopiesse mal palabra
Sy pderiemos auer̄ mas los oios dela cara
Cā demas los cuerpos y las almas
Grande duelo auie las yentes ianas
Ascondense de myo çid a nol osan dezir nada
El campeador adelino asu posada
Asi como lego ala puerta falola bie çerrada
por miedo del Rey alfōsil q̄ asi lo auie parado
q̄ si no la q̄ brntas por fuerça q̄ no gela abriese
Los de myo çid a altas uozes laman
Los de dentro no les quiē tornar palabra
Aguijo myo çid ala puerta se legaua
Saco el pie del estribera una feridal daua
Non se abre la puerta ca bie era çerrada
Una nina de nuef annos a oio se parua
ya campeador en buē anriestes espada
El rey lo ha uedado anoch del entro su carta
Con grant recabdo y fuerte mientre sellada
nō nos osariemos abrir ni coger por nada
Si no pderiemos los aueres y las casas
E demas los oios delas caras
Çid enel nro mal uos no ganades nada
mas el criador uos uala con todas sus uirtudes sātas
Esto la nina dixo y tornos pora su casa

ya lo vee el çid q del Rey no auie g'a̱cia.

partios a la puerta por burgos aguijaua
llego a sca mā luego descaualga
finco los ynoios de coraçon rogaua
la oraçion fecha luego caualgaua
salio por la puerta 7 arlançon posaua
cabo essa villa en la glera posaua
fincaua la tienda 7 luego descaualgaua
Myo çid Ruy diaz el q en buen ora çinxo espada
poso en la glera qndo nolcoge nadi en casa
derredor del vna buena compaña
assi poso myo çid commo si fuesse en mōtaña
vedada lan compra dentro en burgos la casa
de todas cosas qntas son de vianda
non le osarien vender al menos dinarada
Martin antolines el burgales cūplido
Myo çid 7 los suyos abastales de pan 7 de vino
non lo compra ca el selo auie cōsigo
de todo cōducho bien los ouo bastidos
pagos myo çid el campeador 7 todos los otros que ua a lo so
Fablo martin antolinez odredes lo q a dicho
ya campeador en buen ora fuestes nacido
esta noch ygamos 7 uayamos nos al matino
ca acusado sere delo q uos he seruido

☩ por lo 7 uos he seruido

... ffla ... sus ... los ...
... nullo ... espadas ...

Cuan cerca ozarie el ... que ... amigo
Dizno sino deus ... non un ...
ffablo ... ad el ... en buen ora ... espada
Martin antolinez ... mesurada lengua
...
...
...
...
...
Con ... alegre ... tres ...
... las daran ...
...
...
...
... me puedo
...
En... ... ...
...
Diolo el çid ... todos los ...
ya mas non ... ...
...

Por rachel e vidas aquella demandava
falla por burgos al castiello entrava
Por rachel e vidas apriesa demandava

Rachel ? vidas en vno estaua amos

En cuenta de sus aueres delos que auie ganados

llego mj molino? aguisa demembrado

O sodes Rachel ? vidas los myos amigos caros

en poridad flablar querria con amos

Non lo detardan todos tres se apartaron

Rachel ? vidas amos me dat las manos

Que no me descubrades a moros ni a xristianos

por sienpre uos fare ricos que no seades menguados

El campeador por las fue entrado

Grandes aueres priso ? mucho sobeianos

Retouo dellos quanto que fue algo

por en vino aaquesto por que fue acusado

Tiene dos arcas lennas de oro esmerado

ya lo vedes que el Rey le a ayrado

Dexado ha heredades ? casas ? palacios

Aquelas no las puede leuar sino ser ian ventadas

El campeador dexar las ha en uestra mano

E prestalde de auer lo que sea guisado

prended las archas ? meted las en uestro saluo

Con grand iura meted i las fes amos

Que no las catedes en todo aqueste año

Rachel ? vidas seyen se consseiando

nos huebos auemos en todo de ganar algo

Bien lo sabemos que el algo gaño

Quando a tierra de moros entro que grant auer saco

Non duerme sin sospecha qui auer trae monedado

Estas archas prendamos las amas

En logar las metamos que no sean ventadas

Mas dezid nos del Çid de que sera pagado

O que ganancia nos dara por todo aqueste año

Respuso Martin Antolinez a guisa de menbrado

Myo Çid querra lo que ssea aguisado

Pedir uos a poco por dexar so auer en saluo

Acogen sele omnes de todas partes mengados

A menester seys çientos marcos

Dixo Rachel e Vidas dar gelos de grado

Ya vedes que entra la noch el Çid es presurado

Muchos auemos que nos dedes los marcos

Dixo Rachel e Vidas Non se faze assi el mercado

Si no primero prendiendo e despues dando

Dixo Martin Antolinez yo desso me pago

Amos me ed al Campeador que todo

Pues nos andaremos que assi es aguisado

Por aduzir las archas e meter las en uuestro saluo

que no lo sepan moros nin christianos

Dixo Rachel e Vidas nos desto nos pagamos

Las archas aduchas prendet seyes çientos marcos

Martin antolinez cavalgo priuado
Con Rachel & vidas de voluntad & de grado
Non uiene ala puent ca por el agua apassado
Q~ gelo no ventanssen de burgos omne nado
Afeuos los ala tienda del campeador contado
Jlli como entron al çid besaron le las manos
Sonrrisos myo çid estaualos fablando
ya don Rachel & vidas auedes me olbidado
ya me exco de tierra ca del Rey so ayrado
Alo om̃ ............ delo mio aur des algo
...........  & Vidas no leredes .............
Don Rachel & vidas a myo çid besaron le las manos
Martin antolinez el pleyto a parado
Q~ sobre aq̃llas arcas dar le ven .lx. çientos marcos
& bie gelas guardarie fasta cabo del año
Ca allil dieron la fe & gelo auien jurado
...........  & las catassen q̃ fuessen guardados
Non las diesse myo çid dela ganacia un dinero malo
D~ m̃ antolinez aguien las archas priuado
aualdas Rachel & vidas poned las en uro saluo
yo yre conuusco q̃ adugamos los marcos
Ca amoui a myo çid ante q̃ cante el gallo
Al cargar delas archas veriedes gozo tão
Non las pueden poner en somo maguer son esfforçados

Gudar las Rachel e vidas cõ aueres monedados
Ca mẽtra q̃ visq̃ssen refechos erã amos
Rachel amos ed la manot sia belar
ya capeados en bñe ora cinxiestes espada
de castiella uos ydes pa las yentes estranas
Asi es uña grandes son uñas gananças
ona piel uermeia morisca ondrada
Cid beso uña mano endõ q̃ la re ava
Mme dixo el cid da q̃ sea mudada
Dio uos la adurier dalla si nõ cõtalda sobre las arcã
en medio del palacio tẽdiero vn almofalla
sobrella vna sauana de rancal muy blãca
And el pmer colpe iijmaraos de plata echaro
meiolos dõ martino sin pefs los romana
Los otros CCC en oro gelos pagaua
finco escuderos tiene dõ martino cargo los
Q̃ndo esto ouo fecho odredes lo q̃ fablaua
ya dõ Rachel e vidas en uña mano son las arcã
yo q̃ esto uos gane bie mereçia calças
Entre Rachel e vidas apatte yxiero amos
Demos le bñe dõ ca el nõ lo ha buscado
Martin antolines un burgales cõtado
uos lo mereçedes daruos q̃remos bñe dado
do q̃ fagades calças e rica piel e bñe mãto
Damos uos endõ auos xxx marchos

a cabo de to lo sabedes en esto el agujado
Atorgar nos hedes esto q̃ auemos parado
Ondra selo don martino · τ cabto los marchos
Grado exir dela posada · espidios de amos
grado es de burgos · arlançon a passado
vino pora la tienda del q̃ en buen ora nasco
Recibiolo el çid abiertos amos los braços
venides marti antolinez el mio fiel vassalo
aun vea el dia q̃ de mi ayades algo
vengo campeador con todo buen recabdo
vos vi çientos · yo xxx· he ganados
mandad coger la tienda · τ vayamos priuado
En san po de cardeña y nos cante el gallo
veremos uuestra mug̃ menbrada fija dalgo
Mesuraremos la posada · τ quitaremos el reynado
Muncho es huebos ca çerca viene el plazo
Estas palabras dichas la tienda es cogida
Myo çid · con sus compañas caualgaua tan ayna
La cara del cauallo torno a santa maria
alço su mano diestra la cara se santigua
ati lo gradesco dios q̃ çielo τ tierra guias
valan me tus uertudes gloriosa santa maria
daqui quito castiella pues q̃ el rey he en yra
non se si entrare y mas en todos los mios dias
uuestra uertud me uala gloriosa en mi exida τ me ayude

ell me acorra de noch e de dia
Si uos assi lo fizieredes e la uentura me fuere conplida
Mando al uro altar buenas donas e Ricas
Esto e yo en debdo q̄ faga y cantar mill missas
Spidios el cabosso de cuer e de ueluntad
Sueltan las Riendas e piensan de aguijar
Dixo mio Martin antolinez uere ala mugier acodo mio sabor
Castiar los he como abran a far
Si el Rey me lo quiere tomar ami non minchal
Antes sere co uusco q̄ el sol quiera Rayar
Tornauas a Martin antolinez a burgos e mio cid aguijar
pora San pedro de cardena quanto pudo a espolear
Con estos caualleros ql siruen aso sabor
Apriessa cantan los gallos e quieren quebrar albores
Quando lego a San pero el buen campeador
El abbat don Sancho xp̄iano del Criador
Rezaua los matines abuelta delos albores
Y estaua doña ximena co cinco dueñas de pro
Rogando a San pero e al criador
Tu q̄ atodos guias uala mio cid el Campeador
Lamaua ala puerta y sopiero el mudado
Dios q̄ alegre fue el abbat don Sancho
Con lubres e co candelas al corral dieron salto
Con tan grant gozo Reciben al q̄ en buen ora naçio
Gradesco lo a dios mio cid dixo el abbat don Sancho

Pues que a dexar nos hedes grjder de me ospedado
Dyxo el ad gracas don albar fanue vadagado
vos adobare conducho pora mi pora mis vassallos
Coas pora el camjno bos de rhi douos .IJ. marchos
Sy yo algun dia bisfier seruos han doblados
Dio hero tyrar enel monesterio Vn año de carro
Tender an pora doña ximena douos .IIJ. marchos
A ella ya sus fijas y a sus buenas sirudas la seruiran
Pues fijas dexo a dos njñas pender las en los braços
A ellas vos acomjendo a vos albar don sancho
Dellas de mi mui curiades enas e cabades
aquella despensa uos e talleuetz ouos mengaren a
Bien las abastad yo assi uos lo mando
Por vn marcho q despendades al mone
Quatrado gelo uos el abbar de grado
Afevos doña ximena co sus fijas doña leleruarea
Sendas dueñas las tren y aduzen las adelar
Ant el campeador doña ximena finco los ynoios amos
Lorana delos oios ales besar las manos
La carra Çapada en mj vuestra rado
Que malos meftureros de mj ssi lopes echado
A pecieng vos ad barba tan cumplida
Fem ante vos yo y uñas fijas ynfantes son dias
Con uenes mjas dueñas de qen lo uos seruida

yo lo veo ÷ eltades me cuyda

...mos dones ... nos honrar ... dia

Dard nos ... ... ... aina de las ...

En clino las manos en la barba velida

... sus ... sobre las ... 

... ... sermono las ...

... ...gos ... fuese mienore ... ...

... ... ... ... ...

... mi alma ... ... nos ...

... ... ... ... ...

... ... Huuerdes ... ...

... ... maria ... ... ...

... de ventura ... junos dira vida

... mas ... de mi ... ...

... le fare ... ...

... las campanas en len ... a tamor

... ... oyendo na viernes

Como ... de ... ... ... apesar

otros ... ... ... ...

... ... dia ala ...

... ... ... todos juntados son

... ... por ... ... apesar

... ... ... ...

... ... ... ... ... embiar ... ...

... lo ... ... ... de buscar

... ... ... por ... mas ...

... cunha ... ... ... be sabe

Tornos a sonrrisar legan le todos la manol ban besar

fablo myo çid de toda voluntad

yo Ruego a dios, al padre spiritual

vos q por mi dexades casas y heredades

en antes q yo muera algun bien uos pueda far

lo q perdedes doblado uos lo cobrar

Plogo a myo çid por q creçio en la iantar

plogo alos otros omnes todos quantos con el estan

los vj dias de plazo passados los an

Tres an por troçir sepades q non mas

Mando el Rey a myo çid a aguardar

q si despues del plazo en su tierral pudies tomar

por oro ni por plata no podrie escapar

El dia es exido la noch querie entrar

A sos cavalleros mandolos todos iuntar

Oyd varones non uos caya en pesar

poco auer trayo, dar uos quiero uuestra part

Sed membrados como lo deuedes far

A la mañana quando los gallos cantaran

non uos tardedes mandedes ensellar

en san pero a matines tandra el buen abbat

la missa nos dira esta sera de santa trinidad

La missa dicha penssemos de caualgar

ca el plazo viene açerca mucho auemos de andar

Quemo lo mando myo çid assi lo an todos ha far

Passando ua la noch viniendo la man

alos mediados gallos piessan de caualgar

Çid a matines adona pella tan grand
çaros? su mugier ala eglesia uan
Echos doña ximena en los grados delant el altar
Rogando al criador quanto ella meior sabe
Que a mio çid el campeador que dios le curias de mal
Ya señor glorioso padre que en çielo estas
Fezist çielo e tierra el terçero el mar
Fezist estrelas e luna e el sol para escalentar
Prisist encarnaçion en sancta maria madre
En belleem apareçist commo fue tu voluntad
Pastores te glorificaron ouieron de alaudare
Tres reyes de arabia te vinieron adorar
Melchior e gaspar e baltasar oro e tus e mirra
Te ofreçieron commo fue tu voluntad
A ionas quando cayo en la mar
Saluest a daniel con los leones en la mala carçel
Saluest dentro en roma al señor san sabastian
Saluest a sancta susanna del falso criminal
Por tierra andidiste xxxii años señor spital
Mostrando los miraclos por en auemos que fablar
Del agua fezist vino e dela piedra pan
Resuçitest a lazaro ca fue tu voluntad
Alos iudios te dexeste prender do dizen monte caluarie
Pusieron te en cruz por nombre en golgota
Dos ladrones contigo estos de señas partes
El vno es en parayso ca el otro non entro ala

Estando en la cruz vertud fezist muy grant

longinos era ciego que nuquas vio alguandre

diot con la lança enel costado dont yxio la sangre

corrio la sangre por el astil ayuso las manos se ouo de vntar

alçolas arriba legolas ala faz

abrio los oios cato a todas partes

en ti crouo al ora por end es saluo de mal

Enel monumento resuçitest fust alos jnfiernos

commo fue tu voluntad

Quebrantest las puertas e saqueste los padres sanctos

Tueres rey delos reyes e del mundo padre

A ti adoro e creo de toda voluntad

E ruego a san peydro que me ayude a rogar

por myo çid el campeador que dios le curie de mal

quando oy nos partimos en vida nos faz juntar

La oraçion fecha la missa acabada la an

Salieron dela eglesia ya quieren caualgar

El çid a doña ximena ua la abraçar

doña ximena al çid la manol va besar

llorando de los oios que non sabe que se far

E el a las niñas torno las a catar

A dios uos acomiendo fijas e al mug e al padre spirital

agora nos partimos dios sabe el aiuntar

loando selos oios q̃ no viestes atal

Asis parten vnos dotros commo la vña dela carne

Myo çid co los sos vassallos penso de caualgar

Atodos esperando la cabeça tornado va

Atan grand sabor fablo mynaya albarfanez

Çid do son vros esfuerços en buena ora nasqiestes de madre

Penssemos de yr nra via esto sea de vagar

Aun todos estos duelos en gozo se tornaran

Dios q̃ nos dio las almas conseio nos dara

Al abbat don sancho tornan de castigar

Commo sirua adoña ximena ·a la fiias q̃ ha

E a todas sus dueñas q̃ co ellas estan

bien sepa el abbat q̃ buen galardon dello prendran

Tornados don sancho · fablo albarfanez

Si uieredes yentes venir por connusco yr

Abbat deçildes q̃ prendan el rastro · piessen de andar

Ca en yermo o en poblado poder nos alcançar

Soltaron las riendas piessen de andar

Çerca viene el plazo por el reyno q̃tar

Vino mio çid yazer a spinaz de can

Otro manana piessen de caualgar

Grandes yentes sele acoien esa noch de todas partes

yxiendos va de tierra el campeador leal

de siniestro sant esteua vna buena çibdad

De dentro en... las torres ... las ...

...llo por alcobiella q̃ de castiella es ...

La calçada de Quinea yua la ... p̃ ...

Sobre Navas de palos el Duero va ...

A la figueruela mio Çid iua posar

Vanssele acogiendo yentes de todas partes

Y se echava mio Çid despues q̃ fue çenado

Y uuol śo dulce tā bien se adurmio

El angel Gabriel a el vino en vision

Cavalgad Çid el bue Campeador a nuŋ

En tā buen punto cavalgo varon

Mientra q̃ visquieredes bien se fara lo to

...do despierto el Çid la cara se santiguo

Sinava la cara a Dios se acomendo

Mucho era pagado del sueño q̃ a soñado

Otro dia mañana piensan de cavalgar

Es dia a de plazo sepades q̃ no mas

A la sierra de Miedes ellos yuā posar

Aun era de dia no era puesto el sol

Mando uer sus yentes mio Çid el Campeador

Sin las peonadas y omnes valientes q̃ son

Noto trezientas lanças q̃ todas tienē pendones .

iu xie q̃ ni ōᷤ xiīᵭ ...

Tod esto me an buelto myos enemigos malos.

enel cador nos salue

Ca si asi fuere, conuien a nos caualgar

Passaremos la sierra ĝ fiera es e grand

La tinc del ĝ alfonso esta noch la podemos pasar

Despues ĝ nos buscare fallar nos podra

De noch passe la sierra uinida es la mañana

E por la loma ayuso pienssan de andar

En medio duna montaña maruillosa e grand

fizo myo çid posar e çeuada dar

Dixoles a todos como querrias nochar

Vassallos tã buenos por coraçon lo an

Mandado de so señor todo lo han afar

Ante ĝ anochesca pienssan de caualgar

Por tal lo fizo myo çid ĝ no lo ventasse nadi

Andidiero de noch ĝ uagar no se dan

O diz castejon el ĝ es sobre fenares

Mio çid se echo en çelada con aĝlos ĝ el trae

Toda la noche iaze en çelada el ĝ en buen ora nasco

Como los aconseiaua minaya albarfanez

Ya çid en buen ora çinxestes espada

Vos con ç.c. iredes en algara alla fata alcala

E alla vaya el alcar sin falla e minaya gança vna sardida

lança. Caualleros buenos ĝ aconpañen a minaya

aqlas casas que por miedo no andedes ariedo
ssin auiso. por guadalfaiara ffata alcala lleguen las al
ebre acoian todas las ganancias
con mi miedo de los moros no dexen nada
e yo co los C aqui fincare en la çaga
Terne yo castejon don abremos grand enpara
si cueta uos fuere alguna al alcaça
fazed me mandado muy priuado ala çaga
Daqueste acorro fablara toda españa
nonbrados son los q̃ uan enel algara
e los q̃ co myo çid ficaran en la çaga
ya qebra albores. e uinie la mañana
yxie el sol dios q̃ fermoso apuntaua
en castejon todos se leuantaua
abren las puertas de fuera salto dauan
por ver sus lauores. e todas sus heredades
Todos exidos las puertas dexadas an abiertas
con pocas de gentes q̃ en castejon fincaron
Las yentes de fuera todas son de rramadas
El campeador salio dela çelada corrie aguisado sinfalla
con aces. matauanles los de ganancia
e ellos grutados q̃ntos en derredor andan
como es don Rodrigo ala puerta adeliñaua
Los q̃ la tiene q̃ndo uieron la rebata

Ouiero miedo, fue delepamda
Ido qd Ruy diz par las guerras entraua
En mano te desnuda el espada
Entre moros matana delos q alcancaua
gaño a castejon el oro ela plata
Aos cauallos legan co la gañacia
Dexan la amyo cid todo esto nolpua nad
Afeuos los c c.uy. enel algara
esin dubda correa fata alcala lego la seña...
Adeli arriba tona se co la ganancia
Senares arriba por guadalfaiara
Tanto tien las grandes ganacias muchos ganad
De ouejas, de vacas, de ropas de otras riqzas las gra
Derecha viene la seña de minaya
por ola rizauno dar salto ala gara
Con aqste auer tornan se ella copaña
ffellos en castejon o el campeador estaua
el castielo dexo en lo poder el campeador entraua
aholos recebir co esta su mesnada
los bracos abiertos recibe a minaya
Venides albufanez una fardida lanca
doyo uos en bras bue abra tal esperanca
esso co esto sea aiuntado
douos la qrta si la qisierdes minaya

Atengo uos lo grado Çampeador ondrado
Ca esta quinta que me auedes mandado
Pagar se ya della alfonsso el castellano
yo uos la suelta, y auello quitada
A dios lo prometo a aquel que esta en alto
fata que yo me page sobre mio buen cauallo
lidiando con moros enel campo
Que en pleye la lança al espada mete mano
Ede el cobdo ayuso la sangre destellando
Ante ruy diaz el lidiador contado
Non prendre deuos quanto uale vn dinero malo
Pues que por mi ganaredes que quier que sea dalgo
Todo lo otro afelo en uestra mano
Estas ganançias salli eran juntadas
Comidios mio çid que en buena ora fue nado
Al rey alfonsso que legarien sus compañas
Quel buscarie mal con todas sus mesnadas
Quando pudier uos algo auer
Mando los enueros que gelos buscassen por otras carreras
Con cauallos gran arribança
A cada une dellas caen çient marchos de plata
Galos peones la meatad sin falla

Toda la ganançia por y se finca a .
Alq̃ no la buscar vender ni dar en psentaia.
Myn carlos ni ostias toso ser en su copaña.
fablo los de castiejon en uo asina ygnadalhagn.
esta quita por siepre sere anpiada
Myn dalo q̃ diessen el onsella fizo garuaxes
Ismais los moros iij mill marcos de plata
Plego amyo çid daq̃sta presentaia
Alcaçer dos dadas fueron sin falla
Ismo myo çid el co toda su copaña
q̃ enel castiello no y aurie morada
e q̃ serie retenedor mas no y aurie agua
Moros en paz ca escripta es la carta
buscar nos ye el rey alfonsso co toda su mesnada
fecho esto castejon ozd esauellas mepiaua
lo q̃ yo dixier no lo tengades amal
en castejon no podriemos finar
çerca es el rey alfonsso buscar nos verna
Mas el castielo no lo q̃ro hermar
çiento mouros çiento moras q̃ro las dar
fer q̃ lo ys dellos q̃ de mi no digã mal
Todos sodes pagados niguno por pagar
Oxas ala mañana pensemos de caualgar

Con aq̃stos mios me quiero yo aguardar
Lo q̃ dixo el cid a todos los otros plaze
Del castiello q̃ prisieron todos ricos se ptẽ
Los moros e las moras bendiziendol estã
vanse fenáres arriba quanto pueden andar
Trocen las alcarias y uan adelant
por las cueuas d'anqta ellos passando uã
Passaron las aguas entraron al campo de toranz
por ellas trras quanto q̃ pueden andar
Entre fariza y çetina mio cid yua albergar
Grandes son las ganancias q̃ priso por la trra do ua
Non lo saben los moros el ardimẽt q̃ an
Otro dia mouios mio cid el de biuar
E passo a alfama la foz ayuso ua
Passo a bouierra y a teca q̃ es adelant
E sobre alcoçer mio cid yua posar
En un otero redondo fuerte y grand
Açerca corre salon agua nol puedent vedar
Mio cid don rodrigo alcoçer cuida ganar
Bien puebla el otero firme prende las posadas
Los unos contra la sierra y los otros cõtra la agua
El buen campeador q̃ en buen ora nasco
Derredor del otero bien çerca del agua

A todos sos vassallos ... una cascaña
Que de día nin de noch non le diessen arrebata
Que lo sopiessen que mio Cid allí avié fincança
Por estas tierras dizien por los mandados
Que el caritade mio Cid allí a ssie poblado
vendo el a moros e ssodo el de rristianos
En la su vezindad non se treven ganar tanto
Agardando sun mio Cid a todos sus vassallos
El castiello de alcocer en paria va entrando
los de alcocer a mio Cid yal dan parias de grado
e los de tura y los de teruel la casa
a los de calatauth saber males pesaua
Alli yogo mio Cid complidas xv. semanas
Que de vio mio Cid que alcocer non sele daua
el fizo vn art y non lo de tardaua
Dexa vna tienda fita las otras leuaua
Coios salon ayuso la su seña alçada
las lorigas vestidas y cintas las espadas
a guisa de menbrado por sacar los arcelada
veyen lo los de alcocer dios como se alabauan
Salido es mio Cid el pan y la ceuada
mas en guisa a los lieua vna tienda a deraada

Tornada ua mya çid cõno ẹs̃ñ palla de annuciada
Demos salto a el · faremos grant ganançia
Mueços q̃ã aū̃dan los de terrer el siño nõ nos dan de[naḍ]
la pẏara q̃l a ꝑla tornar nos la ha doblada
ſalieſſo de alcoçer a ṽa ꝑaſſa much eſtraña
ſobe ꝑ q̃ndo los vio fuera cogios ṽino de ꝑ̃mcade
ſoios talon agulo cõ los ſos abueltẻ naci
deſ̃ los de alcoçer ya le nõ va la ganancia
los grandes · los chicos fuera ſalto dan
Al ſabor del pꝯndon cnto al rio prẻſſen nada
Abierṭas ḋexan las puertas q̃ nigũno nõ la cierra
albur campeador la ſu cara tornaua
vio q̃ entrellos · el caſtiello mucha uie grãde
q̃ando tornan la cara ayuſſa el ꝑoiauan
ſino los cuallos todos ſineſ duebdançe ẽtauã
cõ la merçed del criada mn̄ el la qꝯomã
mueſtros ſon con ellos un medio dela lança
piſa q̃ bueno es el goço por aqſta mañana
iþre çid · albarfañez adelante aguijaña
cnen buenos cuallos ſaber a la guiſa les andan
entrellos · el caſtiello euella a euella
vaſſallos de myo çid ſin piedad los auiã
un ora y un poco de logar co trezenꝯ morã

dando grandes alaridos los q̃ estan en la çelada
dexando uã los delant por el castiello se tornaua
las espadas desnudas ala puerta se paraua
Luego legauan los sos ca fecha es el arrancada
Mio çid gañó a alcoçer sabet por esta maña
Vino po vermuez q̃ la seña tiene en mano
metiola en somo an todo lo mas alto
fablo mjo çid Ruy diaz el q̃ en buen ora fue nado
grado a dios del çielo ·todos los sos soñ
ya mejoraremos posadas aduennos y cauallos
... albarfanez ; todos los cauallos
... grand auer auemos p'so
... muertos de biuos pocos veo
... mala vender non los podremos
q' los descabeçemos nada no ganaremos
Coiamos los de dentro ca el señorio tenemos
Posaremos en sus casas ; dellos nos seruiremos
Mio çid q̃ esta ganança en alcoçer esta
fizo enbiar por la tienda q̃ dexara alla
mucho pesa nlos de teca ; alos de teruel no plaze
alos de calatayuch no plaze
Al Rey de valençia enbiaron con mensaie
Qu a vno q̃ dizien mjo çid Ruy diaz de biuar

Ayaelo el alfonsso de mano echado lo ha
vino posar sobre alcoçer en vn tã fuerte logar
Sacolos a celada el castiello ganado a
Mio çid don colaço a teca ya teruel perderas
perderas calataiuth que no puede escapar
Ribera de salon toda yra a mal
Alli ffora lo de siloca que es del otra par
Quãdo lo oyo el rey tamin por cuer le pesa mal
Tres Reyes veo de moros derredor de mi estar
Non lo detardedes los dos yd pora alla
Tres mill moros leuedes cõ armas de lidiar
Con los dela frontera que uos aiudaran
prender melo aiuda aduerid melo delãs
Por que se me entro en mi tira derecho me aura dar
Tres mill moros caualgan y pienssan de andar
Ellos vinierõ ala noch en segunte posar
Otro dia mañana pienssan de caualgar
Vinierõ ala noch a çelfa posar
Por los dela frontera pienssan de enbiar
Non lo detienen bienen de todas partes
yxieron de çelfa la que dizen de canal
Andidieron todol dia que vagar no se dan
vinierõ ella noche en calatayuth posar
Por todas essas tiras los pregones dan

Temes se arunraro soberanas de grandes  
Con aqestos dos reyes q dizen ffariz y galue  
Al bueno de myo çid en alcocer leuan cercar  
Fincaro las tiendas y prenden las posadas  
Crecen estos virtos ca yentes son soberanas  
Las arobdas q los moros sacan de dia  
E de noch en bueltos andan en armas  
Muchas son las arobdas y grande es el almofalla  
Alos de myo çid ya les tuellen el agua  
Mesnadas de myo çid exir querie ala batalla  
El q en buen ora nasco firme gelo vedaua  
Touieron gela en cerca complidas tres semanas  
Acabo de tres semanas la quarta querie entrar  
Myo çid co los sos tornos a acordar  
El agua nos an vedada exir nos ha el pa  
E nos queramos yr de noch no nos lo consintran  
Grandes son los poderes por con ellos lidiar  
Dezid me cauallos como uos plaze de far  
Primero fablo minaya un cauallo de prestar  
De castiella la gentil gendos somos aca  
Si con moros no lidiaremos no nos daran del pan  
Que somos nos vi. cientos algunos ay de mas

en el nobre del cador q̃ non pase por al
vayamos los ferir en aq̃l dia de cras
Dixo el campeador a mi guisa fablastes
Ondrastes uos minaya ca aun uos yedes de far
Todos los moros · las moras de fuera los mãda echar
q̃ no sopiesse ninguno esta su poridad
El dia y la noche piensan se de adobar
Otro dia mañana el sol q̃rie apuntar
Armado es myo cid cõ quãtos q̃ el ha
fablaua myo cid como odredes contar
Todos yscamos fuera q̃ nadi non rinxe
Si non dos peones solos por la puerta guardar
Si nos murieremos en campo en castiello nos entraran
Si venqueremos la batalla creqremos en rictad
E vos pero vermuez la mi seña tomad
Como sodes muy bueno tener la edes sin arth
Mas no aguijedes cõ ella si yo non uos lo mandar
Al cid beso la mano la seña va tomar
Abrieron las puertas fuera un salto dan
Vieron lo las arobdas delos moros al almofalla seña tornar
q̃ priessa va en los moros e tornaron se aarmar
Ante roydo de atamores la tierra q̃rie q̃brar
Veriedes armar se moros apriessa entrar en az
De parte delos moros dos señas ha cabdales

camino
pro

Esnieron dos azes de peones mezclados qlos podrie cōtar
Las azes delos moros yas muene adelant
Pora myo cid ; alos los a manos los tomar
Ondas sed menadas aq en este logar
Non descanche nnguno fata q yo lo mande
Aql pe bermuez ñoso pudo endurar
La seña tiene en mano cōpeço de espolonar
El criadox nos vala cid campeador leal
Vo meter la uꝗ seña en aꝗla mayor az
Los q el debdo auedes veremos cōmo la acorredes
Dixo el campeador no lo fagades por caridad
Respuso po bermuez no rastara por al
Espolono el cauallo e metiol enel mayor az
Moros le reciben por la seña ganar
Dan le gꝗdes colpas mas nol pueden falssar
Dixo el campeador valelde por caridad
E mbꝗcan los escudos delant los coraçones
Abaxan las lanças abueltas delos pendones
Enclinaro las caras de suso de los arzones
Yuan los ferir de fuertes coraçones
A grandes voces lama el q en buē ora nasco
Ferid los cauallos por amor de criadad
Yo lo soy ruydiaz el cid campeador de biuar
Todos fieren enel az do esta po bermuez

Trezientas lanças son todas tienen pendones  
seños moros mataron todos de señas colpes  
Ala tornada q fazen otros tantos son  
veredes tantas lanças premer e alçar  
Tanta adagara foradar e passar  
Tanta loriga falssa desmanchar  
Tantos pendones blancos salir vermejos en sangre  
Tantos buenos cavallos sin los dueños andar  
los moros llaman mafomat e los xpianos santi yague  
Cayen en un poco de logar moros muertos mill e trezientos  
Qual lidia bien sobre exorado arzon  
Mio Cid Ruy diaz el buen lidiador  
Mynaya albarfanez q cortia mando  
Marti antolinez el burgales de pro  
Muño gustioz q fue so criado  
Marti muñoz el q mando a mont mayor  
Albar albarez e albar saluadorez  
Galin garcia el bueno dearagon  
Felez muñoz so sobrino del campeador  
Deli adelante qntos q y son  
Acorren la seña e a myo cid el capeador  
A mynaya albarfanez mataron le el cavallo  
bien lo acorren mesnadas de xpianos  
La lança a qbrada al espada metio mano  
Mager de pie buenos colpes va dando

Violo myo çid ruy diaz el castelano
Acostos aun aguazil q̃ tenie buē cauallo
Diol tal espadada cō el so diestro braço
Cortolo por la çintura el medio echo en campo
A mi naya albarfanez yual dar el cauallo
Oyd mynaya uos sodes el myo diestro braço
Oy en este dia de uos abre grand bando
Firme son los moros aun nos uan del campo
Aguyxo mynaya el escudo en la mano
Por estas tierras fuerte mientre lidiando
A los q̃ alcança ualos delibrando
Mayo çid ruy diaz el q̃ en buen ora nasco
Al rey fariz iij colpes le auie dado
Los dos le fallen ; el vnol ha tomado
Por la loriga ayuso la sangre destellando
Boluio la rienda por yr sele del campo
Por aql colpe rancado es el fonssado
Martin antolinez vn colpe dio a galue
Las carbonclas del yelmo echo gelas a parte
Cortol el yelmo q̃ lego ala carne
Sabet el otro no gel oso esperar
Arrancado es el rey fariz e galue
Tan buen dia por la christiandad
Ca fuyen los moros dela part
Los de myo çid firiendo en alca
Tan bue fiza en aquel se fue en tiur

E a grande nol quiero alla [...]

Ÿara calatayuch qnto puede se va

El campeador yual en al caz

fata calatayuch duro el segudar

A mynaya albarfanez bie landa el cauallo

Da qstos moros mato xxx iiij

Espada taiador sangriento tie el braço

Por el cobdo ayuso la sangre destellando

Dize mynaya agora so pagado

Ca a castella yran buenos mandados

q mio çid Ruy diaz lid campal a vencida

Tantos moros yazen muertos q pocos biuos a dexados

Ca en alcaz sin dubda les fueron dando

yas tornan lo del q en bue ora nasco

Andaua myo çid sobre so bue cauallo

La cofia fronzida dios como es bie barbado

Almofar acuestas la espada en la mano

Vio los sos comos van alegando

Grado a dios aql q esta en alto

qando tal batalla auemos arrancado

Esta albergada los de myo çid luego la an robada

De escudos e de armas e de otros aueres largos

Delos moriscos qando son legados fallaro D x cauallos

Grand alegreya va en tre ellos tanos

que de qinze de los sos menos no fallaro

Traen oro e plata q no saben recabdo

Befechos ſon todos los moros ꝯ aſſta gaꝟꝟa̱
J los caſtillos a los moros dẽtro los an ꝯmados
Mando myo ꝯd aun ꝗ les dieſſen algo
Grant a el goꝝo myo ꝯd ꝯ todos los vaſſalos
Dio aꝑtir eſtos dineꝝos eſtos aueres lõgꝝe
En la ſu ꝗnta al ꝯd caẽ C. cauallos
Dios ꝗ bie pago a todos ſus vassallos
J los peones a los en caualgados
Bie lo aguiſa el ꝗ en buẽ oꝛa naſco
Quꝛtos el trae todos ſon pagados
Oyd mynaya ſodes myo dieſtro braço
D aqueſta ꝗ̃ꝗ̃ꝛa ꝗ el ꝯda nos adado
J uꝛa guiſa pꝛꝺed ꝯ uꝛa mano
Enbiar uos ꝗero a caſtiella ꝯ mandado
Deſta batalla ꝗ auemos aꝛꝛancada
Al ꝛey alfonſſo ꝗ me a ayꝛado
Querol ebiar en don .xxx. cauallos
todos con ſiellas muy bie enfꝛenados
Deſenſeſpadas delos aꝛꝛones colgadas
Dixo mynaya albarfanez eſto fare yo de gꝛado
Euades aꝗ oꝛo plata una vela lena
ꝯ nada nol mỹguaua
Poꝛ las maria de buꝛgos ꝗredes mill miſſas
Loꝗ ꝛomaneçiere dalda a mi muger ꝁ mis fijas

Si Dios me leuare por mi las noches y los dias
si les yo vīscer serā duenas ricas
Grado
Asperaua albarfanez desto es pagado por va tōdo el omes son
Agora dauā ceuada ya la noch era entrada
Mio Cid Ruy diaz cō los sos se acordaua
Ydes uos myñaya acastiella la gentil
Anos amigos biē les podedes dezir
Dios nos valio venciemos la lidit
Ala tornada si nos fallardes aqui
sino do sopieredes q̄ somos yndos conseguir
Por lāças y por espadas auemos de guarir
si no enesta trā angosta nō podriemos biuir
ya el aguilado mañanas fue minaya
E el campeador cō su mesnada
la trā es angosta y soberana de mala
Todos los dias amyo Cid aguardauā
Omes de las fronteras y unas yentes estrañas
fuano el Rey fariz cō el se cōseiaua
Entre los de techa y los de teruel la casa
E los de calatayut q̄ es mas ondrada
asilo an asmado y metido en carta
venido les a acoçer por tres mill marchos de plata
Mio Cid Ruy diz a alcoçer es venido
q̄ biē paga a sus vassalos mismos
A cauallos y a peones fechos los ha ricos

En todos los los no fallariedes vn mesquino
Qui a buen señor sirue siempre biue en delicio
Quando myo cid el castiello qso quitar
Moros y moras tomaron se a quexar
Vatte myo cid nras oraciones uayante delant
Nos pagados fincades señor dela tu part
Quando qto a alcocer myo cid el de biuar
Moros y moras compeçaron de lorar
Alço su seña el campeador se ua
Paso salon ayuso aguijo caba delant
Al exir de salon mucho ouo buenas aues
Plogo alos de teruel y alos de calatayut mas
Peso a los de alcocer ca proles fazie grant
Aguijo myo cid nuas caba delant
y ffinco en vn poyo q el sobre mont real
Alto es el poyo marauilloso grant
Non teme gerra sibez a nulla part
Metio en paria adeoca en antes
Desi amolina q es del otra part
La tcera teruel q estaua delant
En su mano teme a celfa la de canal
Mio cid ruy diaz de dios aya su gra
ydo es a castiella albarfanez mynaya
Treynta cauallos al Rey los enpsentaua

violos el Rey fermoso sonrrisaua
En los dio estos si uos uala dios mynaya
Myo çid Ruy diaz q̃ en buē ora çinxo espada
vençio dos Reyes de moros en aq̃sta batalla
Soberana es señor la su ganacia
A uos Rey ondrado en bia esta p̃sentaia
Besa uos los pies y las manos amas
Qil ayades merçed siel criador uos uala
Diso el Rey mucho es mañana
Ome ayrado q̃ de señor no ha graçia
Por acogello a cabo de tres semanas
Mas despues q̃ de moros fue prido esta p̃sentaia
Aun me plaze de myo çid q̃ fizo tal ganancia
Sobresto todo a uos q̃to minaya
Honores y trias a uellas condonadas
id y venit da q̃ uos do mi gña
Mas del çid campeador yo no uos digo nada
Sobre aq̃sto todo dezir uos q̃to minaya
De todo myo Reyno los q̃ lo q̃sieren far
Buenos y valientes para myo çid huyar
Suelto les los cuerpos y q̃to les las heredas
Belo le las manos minaya albarfañez
Grado y graças Rey como a señor natural
Esto feches agora al feredes adelant
ird por castiella deren uos andar minaya
Sinulla dubda yd a myo çid buscar ganançia

Quiero vos dezir del q̄ en buē ora nasco & cinxo espada

Aql poyo enel priso posada

Mientra q̄ sea el pueblo de moros & dela yente xpiana

El poyo de myo cid assil dirā por carta

Estando alli mucha tierra preaua

El de rio martin todo lo metio en paria

A Saragoça sus nuevas legauan

Non plaze alos moros firme mientre les pesaua

Alli souo mio cid conplidas x. v. semanas

Quando vio el caboso q̄ se tardaua minaya

Con todas sus yentes fizo vna trasnochada

Dexo el poyo todo lo desēparaua

Alen de teruel don Rodrigo passaua

[illegible] do

Todas essas tierras todas las preaua

A Saragoça metuda la a en paria

Quando esto fecho ouo a cabo de tres semanas

De castiella venido es minaya

Dozientos con el q̄ todos cinen espadas

Non son en cuenta sabet las peonadas

Quando vio myo cid asomar a minaya

El cauallo corriendo valo abraçar sin falla

Beso le la boca & los oios dela cara

Todo gelo dize q̄ nol encubre nada

El campeador fermoso sonrrisaua

Grado a dios y a las sus vertudes sctas

Fiziera uos vil heredes bie uia mia amj minaya

Dios como fue alegre todo aql fonssado

Q mjnaya albarfanez assi era legado

Diziendol les saludes de pmos . de hermanos

E de sus compañas aqlas q auien deradas

Dios como es alegre la barba velida

Q albarfanez pago las mill missas

E ql dyo saludes de su mug . de sus fijas

Dios como es cid pagado fizo grant alegria

Ya albarfanez biuades muchos dias

Non lo tardo el q en buen ora nasco

Tierras dal cu negras las va parando

E a derredor todo lo va pando

Al tercer dia don yxo y es tornado

Hya va el mandado por las tras todas

Pesando va a los de monço y a los de huesca

Por q dan parias plaze a los de çaragoça

De myo cid Ruy diaz q no temien nguna fonta

Con estas ganançias a la posada tornando seua

Todos son alegres ganançias traen grandes

Plogo a myo cid . mucho a albarfanez

Sonrrisos el caboso q non lo pudo endurar

Hya caualleros dezir uos he la verdad

Qi en un logar mora siemp lo so puede menguar

Crãs ala mañana penssemos de caualgar
Dexat estas posadas yremos a delant
Estonçes se mudo el çid al puerto de aluca[c]
Dent corre myo çid a huesca ya mont aluan
En aqlla corrida .x. dias ouieron amorar
fueron los mãdados a todas partes
Q el salido de castiella a silos trae tan mal
Los mãdados son ydos a todas partes
llegarõ las nueuas al conde de barçilona
Q myo çid Ruy diaz ql corre la tira toda
Ouo grãd pesar y touos lo a grand fonta
El conde es muy folon y dixo vna vanidat
Grandes tuertos me tiene myo çid el de biuar
Dentro en mi cort tuerto me touo grand
firiom el sobrino y no lo en mendo mas
Agora correm las tiras q en mi anpara estan
Non lo desafie nil torne enemistad
Mas quãdo el melo busca yr gelo he yo demãdar
Grãdes son los poderes y a priessa se uan legãdo
Gentes se le alegan grãdes entre moros y tianos
Adeliñan tras myo çid el bueno de biuar
Tres dias y dos noches penssaron de andar
Alcançaron a myo çid en teuar e el pinar
Asi viene el forçado q el de amanos sele cuydo tomar
Myo çid don Rodrigo trae grãnd ganancia

Iace de vna sierra, legaua a vn val
del conde dõ Semont venido les mensaie
Mayo çid çñdo lo oyo en bio pora alla
Dizrades al conde no lo tenga a mal
Delo so nõ lieuo nada dexem yr en paz
Respuso el conde esto nõ sera verdad
Lo de antes, de agora todom lo pechara
Sabra el saluo a qen vino desondrar
Tornos el madadero qnto pudo mas
Essora lo connesce mio çid el de biuar
Grameños de batalla nos pueden den sçiar
ya cauallos apart fized la ganancia
Apriessa uos guarnid, meteos en las armas
El conde don Semon dar nos ha grant batalla
De moros, de xanos gentes trae soberanas
Amenos de batalla non nos detarie por nada
Pues adellant yran tras nos aqui sea la batalla
Apriad los cauallos, bistades las armas
Ellos vienen cuesta yuso, todos traen calças
E las siellas coceras, las cinchas amoiadas
Nos caualgaremos siellas gallegas, huesas sobre calças
Çiento cauallos deuemos vencer a qllas mesnadas
Antes q ellos legen alaño psentemos les las lanças
Por vno q firgades tres siellas yran vazias
Vera Remont verengel tras qen vino en alcança
Oy en este pinar de teuar por toler me la ganançia

Todos son adobados quando myo çid esto ouo fablado

Las armas auien presas y sedien sobre los cauallos

Vieron la cuesta yuso la fuerça delos francos

Al fondon dela cuesta çerca es de lanno

Mandolos ferir myo çid el que en buen ora nasco

Esto fazen los sos de voluntad ·de grado

Los pendones y las lanças tan bien las van empleando

Alos vnos firiendo ·a los otros de rocando

Vençido a esta batalla el que en buen ora nasco

Al conde don Remont a prison lean tomado

Hy gaño a colada que mas vale de mill marcos de plata

………… la batalla pero ondro su barba

Prisolo al conde pora su tienda lo leuaua

Alos sos creenderos mandar lo guardaua

De fuera dela tienda vn salto daua

De todas partes los sos se aiuntaron

Plogo amyo çid ca grandes son las ganancias

A myo çid don Rodrigo grant cozinal adobaua

El conde don Remont non gelo precia nada

Aduzen le los comeres delant gelos parauan

El non lo quere comer a todos los sosañaua

Non combre vn bocado por quanto ha en toda españa

Antes perdere el cuerpo ·e dexare el alma

Pues que tales mal calçados me vencieron de batalla

Myo çid Ruy diaz odredes lo que dixo

Comed conde deste pan · beued deste uino

Sila q digo fizieredes saldredes de catiuo

Si no en todas uras dias non ueredes xristianismo

Dixo el conde don Remont comede uos don ... pensedes de sol

Ca yo dexar me morir q non quiero comer

Fasta tercer dia nol pueden acordar

Ellos partiendo estas ganancias grandes

Nol pueden fazer comer un muesso de pan

Dixo myo çid comed conde algo ca si non comedes non ueredes

E si uos comieredes don yo sea pagado

Auos · dos fijos dalgo quitar uos he los cuerpos e darus

Quando esto oyo el conde yas ua alegrando

Si lo fizieredes çid lo q auedes fablado

Tanto quanto yo biua sere dent marauillado

Pues comed conde · e quando fueredes yantado

Auos · e a otros dos dar uos he de mano

Mas quanto auedes perdido · yo gane en campo

Saber non dare auos un dinero malo

Mas quanto auedes perdido non uos lo dare

Ca huebos melo he · pora estos myos vassallos

Que comigo andan lazrados · e non uos lo dare

Prendiendo deuos · e de otros ir nos hemos pagando

Abremos esta uida mientra ploguiere al padre sancto

Como q ira a de rey · e de tierra es echado

Alegre es el conde · pidio agua alas manos

E tienen/gelo delant · dieron gelo priuado

Con los cauallos q̃ el çid le auie dados
Comiendo ua el conde dies q̃ de buen grado
Sobrel sedie el q̃ en buē ora nasco
Si bien non comedes conde don yo sea pagado
Aqui feremos la morada no nos partiremos amos
Aqui dyxo el conde de volumtad de grado
Con estos dos cauallos apriessa va comiendo
Pagado es myo çid q̃ lo esta aguardando
Por q̃ el conde dō Remont tā bien boluie las manos
Si uos ploguiere myo çid de ir somos guisados
Mandad nos dar las bestias y caualgaremos priuado
Del dia q̃ fue conde non iante tan de buen grado
El sabor q̃ dend e non sera olbidado
Dan le tres palafres muy bien ensellados
E buenas vestiduras de pelicones y de mantos
El conde don Remont entre los dos es entrado
Fata cabo del albergada escurriolos el castellano
Ya uos ydes conde aguisa de muy franco
En grado uos lo tengo lo q̃ me auedes dexado
Si uos viniere emiente q̃ quisieredes vengalo
Si me vinieredes buscar fallar me podredes
E si non mandedes buscar o me dexaredes
Delo uro o delo myo leuaredes algo
Folgedes ya myo çid sodes en uro saluo
Pagado uos he por todo aqueste año
De venir uos buscar solo non sera penssado
Aguijaua el conde e penssaua de andar

Tornando va la cabeça y catandos atras
Aquedo yua auiendo q̃ myo çid se repintra
Lo q̃ no ferie el caboso por q̃nto enel mundo ha
Vna deslealtança ca no la fizo alguandre
Hido es el conde toinos el de biuar
Tunos co sus mesnadas conpeçolas de legar
Dela ganançia q̃ an fecha marauillosa grãd
Aq̃s conpieça la gesta de myo çid el de biuar
Tan ricos son los sos q̃ no saben q̃ se an
Poblado ha myo çid el puerto de alucat
Dexando a saragoça y las tieras duca
E dexando ahuelca y las tieras de mont aluã
Contra la mar salada conpeço de gueriear
Aorient exe el sol e tornos a elli part
Myo çid gaño xerica y a onda y almenar
Tieras de borriana todas cõq̃stas las ha
Aiudol el criador el Señor q̃ es en çielo  y pberamid
El con todo esto plo a murviedro
ya uie myo çid q̃ dios lua baliendo
Dentro en valençia no es poco el miedo
Dela alos de valençia saber non le place
Prisieron lo co seso q̃ vinesse çercar
Tras nocharon de noch al alua dela mañ
Açerca de murviedro toman iendas afincar
Violo myo çid tomos a marauillar grado aa padre spal
En sus tieras somos y femos les todo mal

Beuemos lo uino & comamos el so pan

Si nos cercar vienen cō derecho lo fazen

A menos de lid nos partira aqsto

Vayan los mandados por los q̃ nos deuen aiudar

los unos a xrica & los otros a aluced.

los otros a siluā & los otros a almenar.

los de borriana luego vengan aca

Conpeçaremos aqsta lid campal

yo fio por dios q̃ en nr̃o pro enadran.

vencer nos las todas fuertes son

El q̃ en buen ora nasco conpeço de fablar

Qual menadas si el criador uos salue

Despues q̃ nos partiemos dela limpia xpistandad

Non fue a uuestro grado nin nos nō pudiemos mas

Grado a dios lo nr̃o fue adelant

los de valencia cercados nos han

Si en estas tierras quisieremos durar

firme mientre los ayamos a escarmentar

Passe la noche & venga la mañana

Aparejados me sed a cauallos & armas

Iremos uer aqla su almofalla

Commo omnes exidos de tira estraña

Alli pareçra el q̃ mereçe la soldada

El q̃ ayos mio çid albarffanez

Conpanna tan buena q̃ auos plaz

Non lo taruillos q̃ lo nos pido mucho mas

los con los otros firmos los delant

B̶ien los ferredes que dubda non ay en ella

ya con los çiento entrare del otra part

Como fido por dios el campo nos sera

Commo gelo a dicho al campeador mucho plaze

Otra mañana esta piensan se de armar

Otras cada uno dellos bien sabe lo que ha de far

Con los albores mio çid ferir los va

En el nombre del criador del apostol sant yague

Ferid los cauallos damar de grado de grand...

Cayo lo Bordiaz mio çid el de biuar

Tanta cuerda de tienda y veredes q...

Quebrar se las estacas ... veredes ...

Oteros los muchos ya ... serondrar...

Del otra part entrules albarfanes

Agen les pesa ouiero se adar ya ... car

Grand es el gozo que va por el logar

Dos reyes de moros mataron en el alca...

Fata valençia duro el segudar

Grandes son las ganançias que mio çid fechas ha

Prisieron cebola ... quanto que el y adelant

De pies de cauallo los que pudiero escapar

Robauan el campo e piensan de tornar

Entrauan a murviedro ... ellas ganançias que ...

Las ... de mio çid sabes serando dan

Miedo an en valençia q̃ non saben q̃ se far

Sonando van sus nueuas alent parte del mar

Alegre era el çid y todas sus compañas

Q̃ dios le aiudara y fiziera esta arrancada

Dauã las corredures y fazien las trasnochadas

llegan a guiera y legan a xatiua

Avn mas ayuso adeyuna la cala

Cabo del mar tierra de moros firme la q̃branta

Ganaron peña cadiella las eridas y las entradas

Quãdo el çid campeador ouo peña cadiella

Males pesa en xatiua y dentro en guiera

Non es con tã recabdo el dolor de valençia

En tierra de moros p(re)ndiendo y ganando

e durmiendo los días y las noches tranochãd(o)

En ganar aq(ue)las villas myo çid duro iij años

Alos de valençia escarmentados los han

Non osan fueras exir ni con el se aiuntar

Taiaua les las huertas y fazia les grãd mal

en cada vno destos años myo çid les tolio el

Mal se aq(ue)xan los de valençia q̃ no saben q̃s f(ar)

De ninguna part q̃ sea no les vinie pan

Nin da consejo padre a fijo ni fijo a padre

Nin amigo a amigo nos pueden consolar

Mala cueta es señores aver mingua de pan

fijos y mugieres ver lo murir de fanbre

Delante veyen so duelo non s' pueden huuiar

Por el Rey de marruecos ouieron a enbiar

Con el delos montes claros auyen grã ta grãd

Non les dyo coseio nin los vino huuiar

Dopolo myo çid de coraçon le plaz

Salio de muruiedro vna noch en trasnochada

Amaneçio a myo çid en trras de mon Real

Por aragon e por nauarra pgon mando echar

A tierras de castiella en bio sus mensaies

Qien qere pder cueta e venir a rritad

viniesse a myo çid q a sabor de caualgar

Çercar qere a valençia por a xanos la dar

Qien qere yr comigo çercar a valençia

Todos vengan de grado ninguno nõ ha pmia

Tres dias le spere en canal de çelfa

Asto dyro myo çid el q en buẽ ora nasco

Tornauas a muruiedro ca el se la a ganada

And dieron los pgones saber a todas partes

Al sabor dela gananca no lo qere de tardar

Grandes yentes se le acoien dela buena jrndad

Creçiendo ua Riqza e myo çid el de biuar

Qndo uio myo çid las gentes iuntad's copeços de pagar

Myo çid don Rodrigo no lo qlo de tardar

Adelino por a valençia e sobrellas va echar

bien la çerca myo çid q no y auia hart

vie dales axir e vie dales entrar

Sonando va sus nueuas todas atodas partes

Mas le vienen a myo çid saber q̃ nos le van

Moriola en plazo si les viniesse huuyar

Nueue meses comphdos saber sobrella iaze

Quãdo vino el dezeno ouieron gela adar

Grandes son los gozos q̃ van por el logar

Quãdo myo çid gaño a valençia y entro en la cibdat

Los q̃ fueron de pie cauallos se fazen

El oro y la plata q̃ en bos lo podrie contar

Todos eran ricos q̃ntos q̃ alli ha

Myo çid don Rodrigo la q̃rta mando tomar

Enel auer monedado xxx mill marcos le caen

Elos otros aueres q̃en los podrie contar

Alegre em el campeador con todos los q̃ ha

Quãdo su seña cabdal se die en somo del alcaçar

Ya folgaua myo çid ẽ todas sus conpañas

A ql Rey de Seuilla el mandado legaua

q̃ p̃sa es valençia q̃ no gela enparan

vino los ver cõ xxx mill de armas

A ps dela verta ouieron la batalla

Arrancolos myo çid el dela luenga barba

fata dentro en xatiua duro el arrancada

Enel passar de xucar y veriedes barata

Moros en aruenço amidos beuer agua

A ql Rey de marruecos cõ tres colpes escapa

Tornado es myo çid con toda esta ganancia

Buena fue la de valençia q̃ndo ganaro la cal

Mas mucho fue prouechosa sabet esta arrancada
atodos los menores cayeron O marcos de plata
las nueuas del cauallo pledes do llegauan
Grand alegria es entre todos essos christianos
Con myo çid Ruy diaz el que en buen ora nasco
yal creçe la barba vale allongando
dixo myo çid de la su boca atanto
ya por amor del Rey alfonsso que de tierra me a echado
ffin peatie enela tigera nin vn pelo non auie tirado
E que fablassen dello moros E christianos
Myo çid don Rodrigo en valençia esta folgando
Con el minaya albarffanez que nos le parte de so braço
los que exieron de tierra de canal son abondados
atodos les dio en valençia casas E heredades
de que son pagados el amor de myo çid ya lo vien prouado
los que fueron con el, los de despues todos son pagados
veelo myo çid que con los aueres que auien tomados
que si se pudiessen yr fer lo yen de grado
Esto mando myo çid minaya lo ouo conssejado
que ningun omne delas sus que le non spidies onol besas la mano
sil pudiessen prender ofuesse alcançado
tomassen le el auer E pusiessen le en vn palo
Aduos todo aquesto puesto en buen Recabdo
Con minaya albarfanez el seua consegar

Dixo que sieredes minaya quiero saber recabdo
Delos que son aqui y comigo ganaron algo ·
Meter los he en escripto · todos sean contados
Que si algunos furtare o menos le fallaren el au me a
Aquestos myos vasallos que curian avalencia · anda a robdando
Alli dixo minaya consseio es aguisado
Mando los venir ala corth · a todos los iuntar
Quando los fallo por cuenta fizo los nonbrar
Tres mill · seys cientos auie myo çid el de biuar
Alegra le el coraçon · tornos asonrrisar
Grado a dios mynaya · a sancta maria madre
Con mas pocos yxiemos de la casa de biuar
Agora auemos riqueza mas auremos adelant
Si auos ploguiere minaya · no uos caya en pesar
Enbiar uos quiero a castiella do auemos heredades
Al Rey alfonsso myo señor natural
Destas mis ganançias que auemos fechas aca
Dar le quiero · C · cauallos · nos yd gelos leuar
Por si por mi besalde la mano e firme gelo rogad
Por mi mugier · e mis fijas si fuere su merçed
que las dexe sacar
Enbiare por ellas · uos sabed el menssaje
la mugier de myo çid · e sus fijas las iffantes
De guisa yran por ellas que a gran ondra vernan
A estas tierras estrañas que nos pudiemos ganar
Essora dixo mynaya de buena voluntad

Pues esto an fablado piensan se de adobar.
Ciento omnes le dio myo çid a albarfanez por seruir le enla carrera
Mandando mill marcos de plata a san peyo leuar
E que los diesse al abbat don sancho
Enestas nueuas todos sea alegrando
De parte de oriente vino vn coronado
El obispo don ieronimo so nombre es llamado
Bien entendido es de letras e mucho acordado
De pie e de cauallo mucho era arreziado
Las prueças de myo çid andaualas demandando
Sospirando el obispo ques viesse con moros enel campo
Que sis fartas lidiando e firiendo a sus manos
Alos dias del sieglo no le lorassen christianos
Quando lo oyo myo çid de aqesto fue pagado
Oyd minaya albarfanez por aqel que esta en alto
Quando dios prestar nos quiere nos bien gelo gradescamos
En tierra de valencia fer quiero obispado
E dar gelo a este buen christiano
Vos quando ydes a castiella leuaredes buenos mandados
Plogo a albarfanez delo que dixo don rodrigo
A este don ieronimo yal otorgan por obispo
Dieron le en valencia o bien puede estar rico
Dios que alegre era todo christianismo
Que en tierras de valencia señor auie obispo
Alegre fue minaya e spidios e vinos
Tierras de valencia remandan en paz

adeliño pora castiella minaya albarfanez  
Deare uos las posadas nõ lã qero contar  
demando por alfonsso do lo podrie fallar  
Fuera el Rey a san fagunt a vn poco ha  

Tornos fue de aqsto minaya albarfanez  
Con esta pletoria adeliño pora alla  
De missa era exido essora el Rey alfonsso  
Afe minaya albarfanez do lega tã apuesto  
Finco los ynoios ante todel pueblo  
Alos pies del Rey alfonsso cayo ã grand duelo  
besaua le las manos, fabla tã apuesto  
Merçed señor alfonsso por amor del criador  
besaua uos las manos myo çid lidiador  
los pies, las manos como tã buen señor  
Quel ayades merçed sinos uala el criador  
Echastes le de tira nõ ha la uꝛa amor  
Magꝛ en tira agena el bien faze lo so  
Ganada a xerica, a onda por nombre  
Priso a almenar, a muruiedro ã es mismo  
Assi fizo çebolla, a delant casteion  
E peña cadiella ã es vna peña fuert  
Con aquestas todas de valencia el señor  
Obispo fizo de su mano el buen campeador

Con çinco lides canpales $q̃$ las gano todas el arrancar
Grandes son las ganançias $q̃$ dio el criador
Femos aq̃ las señas verdad uos digo yo
Çient cauallos gruessos $z$ corredores
De siellas $z$ de frenos todos guarnidos son
Besa uos las manos $q̃$ los prendades uos
Razonas por ueº uassallo uos tiene por señor
Alço la mano diestra el Rey se sanctigo
De tan fieras ganançias commo a fechas el campeador
Si me uala sant esidro plazme de coraçon
E plazem delas nueuas $q̃$ fize el campeador
Rreçibo estos cauallos $q̃m̃$ enbia de don
Aun que plogo al Rey mucho pesa a garçi ordoñez
Demelan $q̃$ en tierra de moros no ha a biuo oñor
Fndo assi fizo a su guisa el rreyncampeador
Dixo el Rey a minaya dexad esta rrazon minaya
E tomad e gracias mias mas sirua q̃ uos
Fablaua minaya $z$ agusto de bassoni
Oyad uos pide el çid siuos cayalle en sabor
Que su mugier doña ximena suas fijas amas dos
Saldrien del monesterio do elas dexo
Ayden pora valençia al bue campeador
Essora dixo el Rey plazme de curaçon
Hyo las mandare dar conducho miemo a por mj tierra fuesso

De sonra; de mal ............. de sonra
Ondo ello de ..................... dueñas ........
Catad commo las ........ uos. el campeador
Oid me toda la ......... toda la mi cort
............................... pueda el campeador
A todas las escuellas q̃ a el dizen señor
...................... q̃ los de heredo todo gelo suelco yo
Sirua le sus tierras. do fuere el campeador
Clamego les los cuerpos de mal de ocasion
.......... al fuego a esto q̃ sirua a so señor
Mynaya albarfanez las manos le beso
Sonrrisos el ..... q̃ veldo fablo
..... q̃ dixier. se señor al campeador
De mi sean ...... vayan a la gᵃ del cidor
q̃os ganaremos en esto q̃ en otra de sonor
Assi entrato en fabla los ysantes de carrion
Mucho crecen las nuevas de myo cid el campeador
...an casariemos con sus fijas para huebos de pro
............... a cometer nos esta razon
......ad el de bivar nos delos ...... de carrion
..... lo dizen a nadi finco esta razon
Mynaya albarfanez al buen ..... se espidio
Ya nos vades mynaya yd a la gᵃ del criador
lieuedes un portero tengo q̃ uos aura pro
...............es las dueñas sirua las a su sabor

Era dentro en medina denlos ꝗᵗᵒ huebos los fuer
Deſi adelãt pienſſe dellas el campeador
Eſpidios mynaya . valle dela cort
Los yſſantes de carrion dando yuã conpaña a mynaya albarfanez
En todo ſodes pro en eſto aſſi lo fagades
Saludad nos a myo çid el de biuar
Somos en ſo pro ꝗᵗᵒ lo podemos far
El çid ꝗ bien nos qͥera nada non perdera
Reſpuſo mynaya eſto non mea por ꝗ peſar
Ydos el mynaya teniuſſe los yſfantes
Adelino pora ſan pᵒ olas dueñas eſtan
Tan grand fue el goᵤo ꝗdel vieron aſſomar
Deçido el mynaya allin po va feᵣar
Cinxo a cabo la oⁱo aſu ꝗ — a las dueñas ſe torno
Omilom doña ximena dios vos curie de mal
Aſſi faga a uⁱas fijas amas
Saluda nos myo çid alla ond de elle eſta
Sano lo dexa ; con tan grand furtad
El Rey por ſu merçed ſueltas me uos ha
Por leuaros a valençia ꝗ auemos por heda
Sinos vueſſe el çid ſanas ſin mal
Todo ſerie alegre ꝗ non aurie nigun peſar
Oyo doña ximena el çidor lo mide
Dio tres cauallos mynaya albarfanez
En biolas a myo çid a valençia do eſta
Dezid al campeador ꝗ dios le curie de mal

τ̃ su mug̃ ⁊ sus fijas el Rey sueltas me las ha

Mientra q̃ fueremos por sus tras conducho nos mãd

Dezirõ q̃ vos dras sidros nos curiare de mal

Deuemos yo ⁊ su mug̃ ⁊ sus fijas q̃ el a

Auyedas las dueñas cõ ellas q̃ñas e buenas ellas

Sabydos son los cuallos dello pensare

Demaneçio en san po minaya albarfanez

Veriedes cuallos venir de todas partes

Ya se deue a ualençia a myo çid el de buuar

τ̃ les touiesse pro rogauan a albarfanez

Oyendo esto mpanaua esto fere de uoluntad

A minaya Lxb. cuallos a creçidol han

⁊ el se tiene C. q̃ adyxera dalla

Por ir cõ estas dueñas buena conpana se faze

Los quinientos marcos dio minaya al abbat

Delos otros quinientos dezir uos q̃ faze

Minaya a doña ximina ⁊ a sus fijas q̃ ha

⁊ a las otras dueñas q̃ las sirue delant

El bueno de minaya pensolas de adobar

Delos meiores guarnimientos q̃ en burgos pudo

Palafres ⁊ mulas q̃ no parescan mal

Quãdo estas dueñas adobadas las han

El bueno de minaya pensllar quiere de caualgar

Afeuos Rachel ⁊ vidas alos pies le caen

Merçed minaya cauallo de pntar

Destos fechos nos ha el çid sabelo si no nos val

Atoruiemos la ganançia q̄ nos dielle el cabdal

Esto yo lo fare cō el çid si dios me lieua ala

En lo q̄ auedes fecho buē cosimēte y aum

Dixo Rachel & vidas al tal lo mande

Si no diraremos burgos yr lo hemos buscar

Ydo es para san pedro minaya albarfanez

Muchas yentes sele acogen pienso de caualgar

Grand duelo es al partir del abbat

Di uos vala el criador minaya albarfanez

Por mi al campeador las manos le besad

Aq̄ste monesterio no lo q̄ra olbidar

Todos los dias del siglo en lleuar lo adelant

El çid siempre valdra mas

Despues minaya fer lo he de belūtad

Ya se espide · piensan de caualgar

El portero cō ellos q̄ los ha de aguardar

Por la tira del rey mucho conducho les dan

De san pedro fasta medina en v dias ban

Felos en medina las dueñas & albarfanez

Direuos delos cauallos q̄ leuarō el mensaie

Mas q̄ lo sopo mio çid el de biuar

Plogol de coraçon · tieneos a algnilar

Dela su boca conpeço de fablar

Si buē mandadero en via tal dene ffar

Tu muno guftioz y po bermuez delant
mjn antolinez un burgales leal
El obpo don ieronimo coronado de pftar
Caualgedes co ciento guifidos pora huebos delidiar
por fca maria uos vayades pallar
vayades a molina q iaze mas adelant
Tienela auegaluon myo amigo el paz
con otros ciento cauallos bie uos conligun
yd pora medina quito lo pudieredes tir
my mug y mil fijas con mynaya albarfanez
Afi como a my dixieron hy los podredes fallar
con grand ondra aduud melas delant
E yo fincare en valencia q mucho cottadom ha
Grand locura ferie fi la defenpaire
yo ffincare en valencia ca la tengo por hedad
Efto era dicho pienllor de caualgar
E quito q pueden non fincan de andar
Trogieron a fca q y vinieron albergar a froncuel
E el otro dia vinieron a molina pofar
El moro auegaluon qndo fopo el menfaie
faliolos recebir co grant gozo q faze
venides los vallallos de myo amigo natural
Amj non me pefa faber mucho me plaze
Fablo muno guftioz non fpo a nadi
Myo cid uos faludaua y mandolo recabdar
Co ciento cauallos q puadol acorrades
fu mugier y fus fijas en medina ettan

que uayades por ellas adugades gelas aca
ffata en ualençia dellas non uos partades
Dixo auengaluon fer lo he de ueluntad
Ala noch con ducho les dio grand
Ala mañana pienssan de caualgar
Çiento le pidieron mas el con dozientos uã
Passan las montañas que son fieras y grandes
Passaron mata de toru de tal guisa que ningũ miedo no han
Por el ual de arburedo pienssan a de prunar
E en medina todo el Recabdo esta
Enbio dos cauallos mjnaya albarfanez que sopiesse la verdad
Esto non detarda ca de coraçon lo han
El vno finco cõ ellos el otro torno a albarfanez
Virtos del campeador anos uienen buscar
Afeuos aqui po uermuez muño gustioz que uos quere sin hart
E martin antolinez el burgales natural
E el obispo dõ jeronimo coranado leal
E el alcayaz auengaluon cõ sus fuerças que trahe
Por sabor de myo çid de grand ondal dar
Todos uienen en vno agora legaran
Essora dixo mjnaya uaymos caualgar
Esso ffue apriessa fecho que nos quere de tardar
Bien salieron den çiento que no parecen mal
En buenos caualos a petrales a cascaueles
E a cuberturas de çendales escudos alos cuellos
E en las manos lanças que pendones traen
que sopiessen los otros de que seso era albarfanez

O tuuo Minaya don Aluaro albarfanez con otros dsetus qui
aues q yua nõluanõ legando lo uan deluar
Lueggo toman armas tomanse a deportar
pora cerca de salon tan grandes gozos van
Don legan los otros a minaya albarfanez se ua hõmila
O dido luego aquel saluor don non oto ha
Somrisando se dela boca hyualo abrçar
En el ombro lo salluda ca tal es su husue
Tan buen dia cõ uusco minaya albarfanez
Truxes estas duennas por baldremos mas
Coujuer del cid lidialu essus fijas naturales
Ondrar nos hemos todos ca tales la su auze
Dixer q mal le framos non gelo podremos far
En paz o en guerra delo nuo abra
Muchol tengo por torpe q non conosce la uerdad
Sonrises dela boca minaya albarfanez
By auargaluõ a migel sodes sin falla
O dme me legare al cid do uea cõ el alma
Desto q auedes fecho uos non perderedes nada
Vayamos posar ca la çena es adobada
Dixo auargaluõ plazme desta psentaja
Antes deste tcer dia uos lo dare doblada
En corron en medina leuualos minaya
Todos fueron alegres del cruiçio q tomaron
Al pagar del Rey frar lo mandaua

Ondrado es myo çid en valencia do estaua,

de tã grand conducho cõma en medina sacan,

el rey lo pago todo, q̃r sena m̃naçe,

passada es la noche venida es la mañana,

oyda es la missa, y luego caualgauã,

saliero de medina, y salon passauan,

arbuxuelo arriba quado aguijauan,

el campo de torançio luegol atrauessaua,

vinieron a medina la q̃ auegaluõ mandaua,

el obpo don iheronimo buen xp̃iano sin falla,

las noches y los dias las dueñas aguardando,

y buen cauallo en diestro q̃ ante sus armas,

entre el y albarfanez hyuã a vna compaña,

entrados son a medina buenas y dios casa,

el moro auengaluon bien los siruie sin falla,

de q̃nto q̃ q̃sieron non ouieron falla,

avn las ferraduras q̃tar gelas mandaua,

a mynaya y alas dueñas dios cõmo las ondraua,

otro dia mañana luego caualgauã,

fata en valencia siruialos sin falla,

los sos despendie el moro q̃ delo so nõ tomaua nada,

con estas alegrias y nueuas tan ondradas,

apres son de valencia a tres leguas contadas,

a myo çid el q̃ en buõ ora nasco,

dentro a valencia lieuan le el mandado,

alegre fue myo çid q̃ nunq̃ mas ni tanto,

Ca delos q mas amaua ya.l viene el mandado
Dozitos cauallos mando exir priuado
Q reçiban a myanaya . alas duenas fijas dalg
El sedie en valencia curiando y guardando
Ca bie sabe q albarfanez trahe todo recabdo
Afeuos todos a qstos reçiben a minaya
E alas duenas y alas ninas y alas otras conpañas
Mando myo çid alos q ha en su casa
Q guardassen el alcaçar . las otras torres altas
E todas las puertas . las exidas y las entradas
E aduyellen le abauieca poco auie q.l ganara
Aun non sabie myo çid el q en bue ora çixo
Si serie corredor o.si abrie buena parada
Ala puerta de valencia do fuesse en so saluo
Delante su mugr . de sus fijas qrie tener las armas
Reçebidas las duenas a una grant ondrança
El obpo don iheronimo adelant se entraua
Ydexaua el cauillo pora.la capiella adelinaua
Con qntos q el puede q con oras se acordaro
Sobrepeliças vestidas y con cruzes de plata
Reçibir salien las duenas y al bueno de minaya
El q el bue ora naxço no lo de tardaua
En siellan le abauieca cubertura.s le echaua
Myo çid salio sobre.l . armas de fuste tomaua
Vistios el sobregonel luenga tra he la barba

fizo vna corrida esta fue tã estraña
q̃do nombra el ciuallo barueta cayo la
Qvãdo ouo corrido todos se marauillaua
del dia se preço barueta en q̃t grant fue españa
En cabo del coso myo çid descaualga
Adelino a su mug̃ z a sus fijas amas
Qvãdo lo vio doña ximena a pes sele echaua
Merçed canpeador en bue ora cinxiestes espada
Sacada me auedes de muchas verguenças malas
Afe me aq̃ señor yo uñas fijas amas
Con dios z cõ uusco buenas son z criadas
Ala madre z alas fijas bie las abraçaua
Del gozo q̃ auien de los sos oios lorauan
Todas las sus mesnadas en grant delent estan
Armas teniendo z tablados q̃brantando
Oyd lo q̃ dixo el q̃ en buen ora nasco
vos q̃rida z ondrada mug̃ z amas mi fijas
mj coraçon z mi alma
Entrad comigo en valencia la casa
En esta heredad q̃ uos yo he ganada
Madre z fijas las manos le besaua
cõ tã grand ondra ellas a valençia entrauã
Adelino myo çid cõ ellas al alcaçar
Alas las subie enelmas alto logar
Oios velidos catan a todas partes

Oman balencia como iaze la cibdad
E del otra parte a oio han el mar
Oman la huerta espessa es e grand
Alçan las manos pora dios rogar
Desta ganancia como es buena e grand
Mio cid e sus compañas tan a grand sabor estan
El yuierno es exido quel março quiere entrar
Dezir uos quiero nueuas de alent partes del mar
De aql rey yucef q en marruecos esta
Pesol al rey de marruecos de mio cid don Rodrigo
Que en mis hedades fuerte mientre es metido
A el no gelo gradece si no a ihu xpo
Aql rey de marruecos aiuntaua sus virtos
Con L vezes mill de armas todos fueron conplidos
Entraron sobre mar en las barcas son metidos
Van buscar a balencia a mio cid do Rodrigo
Arribado an las naues fuera e tan exidos
Legaron a balencia la q mio cid a conqsta
Fincaron las tiendas e posan las ventes descreydas
Estas nueuas a mio cid eran venidas
Grado al criador e a padre espirital
Todo el bien q yo he todo lo tengo delant
Con afan gane a balencia e ela por hedad
A menos de muert no la puedo dexar
Grado al criador e a sca maria madre

Mis fijas τ mi mug̃ q̃ las tengo aca

vendom deliçio de t̃ras daleut mar

Entrare en las armas non lo podre deyar

Mis fijas τ mi mug̃ verme an lidiar

En estas t̃ras agenas vẽ las moradas cõmo se fã

Marto verã por los oios cõmo se gana el pã

Su mug̃ τ sus fijas subũlas al alcaçar

Alçauan los oios tiendas vierõ fincadas

Q̃s esto çid si el cada uos salue

ya mug̃ ondrada non ayades pesar

Riqz̃a el q̃ nos a creçer maruillosa τ grãd

Apoco q̃ viniestas p̃send uos q̃ren dar

por casar son uũs fijas aduz̃ uos axuuar

Auos grado çid al padre sp̃al

Mug̃ sed en este palaçio si q̃ieredes en el alcaçar

Non ayades pauor por q̃ me veades lidiar

Con la merced de dios τ de s̃ca m̃ madre

Creçem el coraçon por q̃ estades delant

Con dios aq̃sta lid yo la he de arãcar

fincadas son las tiendas τ pareçen los aluores

Avna grand yella tanien los atamores

Alegrauas mio çid τ dixo tã buẽ dia es oy

Miedo a su mug̃ τ q̃rel q̃brar el coraçon

Assi ffarie alas dueñas τ a sus fijas amas ados

Del dia q̃ nãçieran nõ vierã tal tremor

Prisos ala barba el buẽ çid campeador

Non ayades miedo cuedo el uña pro

Antes destos xv dias si plogiere a criador

A aquelos aramores auos los pondran delant ; ueredes que

Desi an aser del obispo don iheronimo

Colgar los han en sca maria madre del

Criador el que fizo el cid campeador

Alegres son las dueñas y diendo van el pauor

Los moros de marruecos caualgan auigor

Por las huertas adentro estan sines pauor

Violo el atalaya ; tanxo el esquila

Prestas son las mesnadas de las yentes xpianas

Adoban se de coracon e dan salto dela villa

Dos fallaron co los moros cometien los tan aina

Sacan los delas huertas mucho afea guisa

Quinientos mataron dellos conplidos enes dia

Bien fata las tiendas dura aqueste alcaz

Mucho auie fecho pienssin de caualgar

Albar saluadorez preso finco alla

Tornados son amyo cid los que comien so pan

El se lo vio co los oios cuentan gelo delant

Alegre es myo cid por quanto fecho han

Oyd me caualleros non rastara por al

Oy es dia bueno ; meior sera cras

Por la mañana prieta todos armados seades

Dezir nos ha la missa ; penssad de caualgar

El obispo do iheronimo soltura nos dara

yr̃ los ferir enel nombre del c̃ador · & aposto sĩ yague

Mas vale q̃ nos los veçcamos q̃ ellos coian el campo

Alora dixieron todos damor · de volũtad

ffablaua mynaya nõ lo q̃so de tardar

Pues ello q̃redes c̃id a mi mandedes al

Dad me · C·xxx· cauallos pora huebos de lidiar

Quãdo uos los fueredes ferir entrare yo del otra part

Ocamos odel vna dios nos valdra

Afara dixo el c̃id de buena volũtad

Es dia es salido · la noch entrada es

Nos detardan de adobasse essas yentes x̃anas

Alos mediados gallos antes de la mañana

El obispo don ih̃mo la missa les cantaua

La missa dicha grant su̅tura les daua

El q̃ aq̃ muriere lidiando de cara

Prendol yo los peccados · dios le abra el alma

Auos c̃id don Rodrigo en bue ora antiestes espada

Yo uos cante la missa por aq̃sta mañana

Pido uos hn don, seam p̃sentado

Las feridas p̃meras q̃ las aya yo otorgadas

Dixo el campeador desa q̃ uos seam mandadas

Salidos son todos armados por las torres de valãça

Myo c̃id alos sos los vassalos tã bie los acordando

Dexa alas puertas omes de grant recabdo

Dio salto myo c̃id en bauieca el so cauallo

De todas guarniçones muy bie es el adobado

La seña sacan fuera de Valencia dieron salto

Quatro mill menos xxx con myo çid van a cabo

A los çinquenta mill van los ferir de grado

Aluar aluarez ✝ aluar saluadorez ✝ minaya albarfanez

Entraron les del otro cabo

Çerco al cador ✝ ouiero los de arrancar

Myo çid enpleo la lança al espada metio mano

Atantos mata de moros q̃ no fuero contados

Por el cobdo ayuso la sangre destellando

Al Rey yucef tres colpes le ouo dados

Salios le de sol espada ca muchol andido el cauallo

Metios le en gujera vn castello paliçiano

Myo çid el de buar fasta alli lego en alcaz

Con otros q̃l ꝯ ssiguen de sus buenos vassallos

Desdalli se torno el q̃ en bue ora nasco

Mucho era alegre delo q̃ an caçado

Ali preçio abauieca dela cabeça fasta acabo

Toda esta ganancia en su mano a rastado

Los .J. mill por cuenta fuero notados

Non escaparon mas çiento ✝ q̃tro

A saludas de myo çid valido an el canpo

entre oro ✝ plata fallaro tres mill marcos

Las otras ganancias non auia recabdo

Alegre era myo çid ✝ todos los vassallos

Q̃ dios le ouo merçed q̃ vençiero el canpo

Q̃ndo al Rey de marruecos assi lo an arrancado

Mio albarfanez por saber todo recabdo deç
Con .C. cauallos a valencia el entrado
Fronzida trahe la cara q́ era del armado
Assi entro sobre bauieca el espada en la mano
Recibien lo las dueñas q́ lo estan esperando
Mio çid finco antellas touo la rrenda al cauallo
a uos me omillo dueñas grant prez uos he gañado
vos teniendo valencia yo vençi el campo
esto dios se lo q́lo co todos los sos santos
Quando en ura venida tal ganancia nos an dada
vedes el espada sangrienta sudiento el cauallo
Con tal cum esto se vençen moros del campo
Rogand al criador q́ uos biua algunt año
entraredes en pr besara uras manos
esto dixo myo çid diziendo del cauallo
Quandol vieron de pie q́ era descaualgado
Las dueñas las fijas la muger q́ uale algo
Delant el campeador los ynoios fincaron
Somos en ura merçed biuades muchos años
e la buelta con el entraron al palaçio
e yuan posar con el en vnos preçiosos escaños
Ya mugier dona ximena nom lo auiedes rogado
estas dueñas q́ aduxiestes q́ uos siruen tanto
Quiero las casar con de aqstos myos vassallos
a cada vna dellas do les .C.C. marcos de plata
Q́ lo sepan en castiella aq́en siruieç tanto

Los de mras fijas venir sea mas por elpaçio
Leuantaron se todas, besaron le las manos
Grant fue el alegria q̃ fue por el palaçio
Commo lo dixo el çid alli lo han acabado
Mynaya albarfanez fuera era enel campo
Cõtodas estas yentes escriuiendo y cõtado
Entre tiendas y armas, vestidos preçiados
Tanto fallan desto q̃ es cosa sobeiana
Quiero uos dezir lo q̃ es mas granado
Non pudieron ellos saber la cuenta de todos los cauall
Grandan armados, no ha q̃ tomallos
Los moros delas tirras granado lean y algo
Maguer de todo esto el campeador contado
Delos buenos y otorgados cayeron le mill y D cauallos
Quãdo a myo çid cayeron tantos los otros bien puede ficar
Tanta tienda preçiada, tanto tendal obrado
Ha ganado myo çid con todos sus vassallos
La tienda del Rey de marruecos q̃ delas otras es cabo
Dos tendales la sufren con oro son labrados
Mando myo çid Ruy diaz q̃ fita souiesse la tienda
Ꝗ non la tolliesse dent Xpiano
Tal tienda commo esta q̃ de marruecos es passada
Enbiar la quiero a alfonsso el castellano
Ꝗ crouiesse sos nueuas de myo çid q̃ auie algo
Con aquestas ganançias tantas a valencia son entrados
El obispo don ihonimo cabolo el coronado
Quãdo es farto de lidiar cõ amas las sus manos

Non tiene en cuenta los moros que ha matados
Lo que caye ael mucho era soberano
Myo çid don Rodrigo el que en buen ora nasco
De toda la su quinta el diezmo la mandado
Alegres son por Valançia las yentes xanas
Tantos auien de aueres de cauallos e de armas
Alegre es doña ximena e sus fijas amas
E todas la otras duenas que tienen por casadas
Al bueno de myo çid non lo tarde por nada
Do sodes cabo lo venid aca mynaya
Delo que auos cayo vos non gradeçedes nada
Desta mi quinta digo uos sin falla
Prended lo que quisieredes los otros de manga
E cras ha la mañana yr uos hedes sin falla
Con cauallos desta quinta que yo he ganada
Con siellas e con frenos e con señas espadas
Por amor de mi mugier e de mis fijas amas
Ca que alli las en bio dond ellas son pagadas
Estos dozientos cauallos yran en presentaias
Si non diga mal el Rey alfonsso del que valençia manda
Mando a po bermuez que fuesse con mynaya
Otro dia mañana priuado caualgauan
E dozientos omes lieuan en su conpaña
Con saludes del çid que las manos le besaua
Desta lid que ha arrancada et cauallos le enbiaua en presentaia
E seruir lo he sienp mientra que ouiesse el alma

Salidos son de valencia e piensan de andar
Tales ganancias q̃ son a aguardar
Andan los dias e las noches · pasada han la sierra
Q̃ las otras tierras parte
Por el Rey don alfonsso toman sse a preguntar
Passando van las sierras · los montes · las aguas
Legan a baldolid do el Rey alfonsso estaua
En biaua le mandado po vermuez e mynaya
Q̃ mandasse Reçibir a esta compaña
Con yo çid el de valençia en bia su presentaia
Alegre fue el Rey non viestes a tanto
Mando caualgar a prissa todos los fijos dalgo
Tyen los primeros el Rey fuera dio salto
Auer estos mensaies del q̃ en buen ora nasco
Los yfantes de carrion saber ys acertaron
El conde don garçia so enemigo malo
Alos vnos plaze · alos otros va pesando
A oro lo auien los del q̃ en buen ora nasco
Cuedan se q̃ el almofalla en no bienen co mandado
El Rey don alfonsso seyse saygnando
Mynaya e pvermuez adelante son legados
Firieron se a tirra deçendieron delos cauallos
Antel Rey alfonsso los ynoios fincados
Besan la tirra · los pies amos
Merçed Rey alfonsso sodes tan ondrado
Por myo çid el campeador todo esto vos besamos

A uos lama* por señor, tienes por ño vassallo
Mucho p̃ia la ondra ꝗ̃ auedes dado
Oy los dias ha bid ꝗ̃ ue lio a auiado
Aꝗl ꝛey de marruecos yacess p̃a nombrado
Con gillerua mill arruscolo del campo
Las ganancias ꝗ̃ fizo mucho son sobeianas
Ricas son uenidos ꝛdos los los uassallos
En bia uos dozientos cauallos, besa uos las manos
Dixo el ꝛey don alffonsso ꝛ̃cibolos de grado
Grādescolo a myo ad ꝗ̃ tal don me ha enbiado
Aun bea ora ꝗ̃ de mi sea pagado
Esto plogo a muchos, besaron le las manos
Pesol al conde don garcia e mal era yrado
Conꝝ de sus parientes a parte dauā salto
Marauilla es del ad ꝗ̃ su ondra crece tanto
En la ondra ꝗ̃ el ha nos serimos abiltados
Por tan bihralu mientre uancer ꝛeyes del campo
Como si los falasse muertos aduzir se los cauallos
Por esto ꝗ̃ el faze nos abremos en bargo
Fablo el ꝛey don alffonsso, dixo esta ꝛazon
Grado al ꝛiador, al señor san esidro el de leon
Estos dozientos cauallos ꝗm en bia myo ad
Mio ꝛeyno adelant meior me podra seruir
A uos mīaua albarfanez, ea to bermez ꝛ ad

Mando uos los cuerpos ondradamientre seruir ⁊ veſtir
⁊ guarnir uos de todas armas como uos dixieredes
Q̃ bien pareſcades ante Ruy diaz myo çid
Jouos iiij cauallos ⁊ prended los aqui
Alſi como ſemeia ⁊ la uelūtad melo diz
Todas eſtas nueuas a bien abran de uenir
Beſaron le las manos ⁊ entraron a poſar
Quien los mando ſeruir de q̃nto hueuos han
Delos yſſantes de carrion yo uos q̃ro contar
Fablando en ſu conſſeio auiendo ſu poridad
Las nueuas del çid mucho uan adelant
Demandemos ſus fijas pora cō ellas caſar
Creçremos en nr̃a ondra ⁊ iremos adelant
Vinien al Rey alfonſſo con eſta poridad
Merçed uos pidimos como a Rey ⁊ a ſeñor natural
Con ur̃o conſſeio lo q̃remos fer nos
Q̃ nos demandedes fijas del campeador
Caſar q̃remos con ellas aſu ondra ⁊ a nr̃a pro
Vna grant ora el Rey penſſo ⁊ comidio
Hyo eche de tr̃a al buen campeador
⁊ faziendo yo ha el mal ⁊ el a mi grand pro
Del caſamiento non ſe ſis abra ſabor
Mas pues bos lo q̃redes entremos en la Razō
Amynaya albarfanez ⁊ a p̃o Vermuez
El Rey don alfonſſo eſſora los lamo

Infantes de carrion

A vna q̃dra ele los aparto
Oyd me mynaya ⁊ vos p̄ bermuez
Siruem myo çid el campeador el lo mereçer yo
E de mi abra p̄don viniessem a vistas si ouiesse dent sabor
Otros mandados ha en esta mi cort
Diego ⁊ ferrando los yffantes de carriō
Sabor han de casar cō sus fijas amas ados
Sed buenos mensageros ⁊ ruego uos lo yo
Q̃ gelo digades albuen campeador
Abra y ondra ⁊ creçra en onor
Por consagrar con los yffantes de carrion
Fablo mynaya ⁊ plogo a p̄ bermuez
[illegible]mos lo q̃ dezides uos
Despues faga el çid lo q̃ ouiere sabor
Dezid a Ruy diaz el q̃ en buē ora nasco
Q̃l yre [illegible] fuere [illegible]guisado
De [illegible] mojon
Andar le qero amyo çid en toda pro
Espidiensse al Rey con esto tornados son
Van pora valençia ellos todos los sos
[illegible] campeador
Apriessa caualga arecebir los salio
[illegible]rrisos myo çid ⁊ biē los abraço
[illegible] mynaya ⁊ vos pero bermuez
[illegible]n pocas tierras a tales dos varones
[illegible] las [illegible] alfonsso myo señor

Dios pagado e rrecibio el don
Dixo myo çid del alma y de coraçon
El pagado, dauos su amor
Dixo myo çid grado al criador
Esto diziendo conpieçan la sazo
Lo q'l rogaua alfonsso el de Leo
De dar sus fijas alos yfantes de carrion
El conosçie y ondra creçie en onor
Es gelo conseiaua dalma de coraçon
Qudo lo oyo myo çid el buen campeador
Vna grand ora penllo comidio
Esto gradesco a xpo el myo señor
Echado fu de tira tollida la onor
Con grand afan gane lo q he yo
A dios lo gradesco q del rey he su gra
E pide me mie fijas pora los yfantes de carrio
Ellos son mucho vrgullosos an part en la cort
Deste casamiento non auria sabor
Mas pues lo consera el q mas vale q nos
Fablemos en ello en la poridad seamos nos
Asi dios del çielo q nos acuerde en lo mior
Con todo esto auos dixo alfonsso
Q nos vernie abltas do ouiessedes sabor
Fiter uos ye ver dar uos su amor
Acordar uos yedes del pues arado lo mior

Essora dixo el çid plazme plazme de coraçon
Estas villas olas grades uos
Diro minaia uos sabidor
Mon en marauilla suffrielle el rey alfonso
Fasta do fallassemos buscar lo yremos nos
Por dar le grand ondra como a Rey de tierra +
Esto lo q el quisiere esso queremos nos
Sobre tajo q es una agua cabdal
Ayamos villas quando lo qere myo señor
E scriuien cartas bien las sello
Con dos cauallos luego las enbio
Lo q el Rey quisiere esso fera el campeador
Al Rey ondrado delant le echaro las cartas
Qndo las vio de coraçon se paga
Saludad me a myos çid el q en bue ora çinxo espada
Sean las villas destas iij semanas
Dos biuo se ali yre sin falla
Non lo detardan a myo çid se tornauan
Della part dela pora las villas se adobauan
Çid en myo por castiella cinta mula qgnada
E tantos palafre q bien anda
Caualos gruessos. corredores syn falla
Tanto buen perdon meter en buenas armas
Escudos boclados con oro. con plata
Mantos. pielles e buenas çendales dadria

Conduchos largos el Rey enbiar mandaua
Alas aguas de tajo o las vistas son apareiadas
Con el Rey atantas buenas conpañas
Los yfantes de carrio mucho alegres andan
Lo uno adebdan · lo al pagauan
Como ellos tenien crecer les ia la ganancia
Quantos que ellen aueres d'oro ode plata
El Rey don alfonsso apriessa caualgaua
Cuendes e padestades e muy grandes mesnadas
Los yfantes de carrion lieuan grandes conpañas
Con el Rey van leoneses e mesnadas galizianas
Non son en cuenta sabet las castellanas
Sueltan las Riendas alas vistas sean adeliñadas
Dentro en ballencia miuo cid el campeador
Non lo detarda para las vistas se adobo
Tanta gruessa mula e tanto palafre de sazon
Tanta buena arma e tanto buen cauallo coredor
Tanta buena capa e mantos e pelliçones
Chicas e grandes vestidos son de colores
Mynaya albarfanez e aquel pero bermuez
Marti muñoz e martin antolinez el burgales de pro
El obpo don ieronimo coranado meior
Aluar aluarez e aluar saluadorez
Muño gustioz el cauallo de pro
Galind garçiaz el que fue de aragon
Estos se adoban por yr con el campeador

E todos los otros q y son

Aluar saluadorez ; galind gçiaz el de aragon

A aqllos dos mando el campeador q curien a ualençia

Dalma ; de coraçon ; todos los q en poder dellos fossen

Las puertas del alcaçar q non se abriessen de dia nj de noch

Dentro es su mug ; sus fijas amas ados

En q tiene su alma ; su coraçon

E otras dueñas q las siruen a su labor

Recabdado ha como tan buẽ varon

Q del alcaçar vna salir non puede

Fata qs torne el q en buẽ ora nasco

Salien de valencia aguijan ; espolonauan

Tantos cauallos en diestro gruessos ; corredores

Moro gd selos gañara q non gelos dierã en don

Hyal va pora las vistas q cõ el rey paro

De vn dia es legado amos el rey don alfonsso

Qndo vieron q vinie el buen campeador

Rescibir lo salen con tã grand onor

Don lo ouo a oio el q en buen ora nasco

A todos los los estar los mando

Si non a estos caualleros q qrie de coraçon

Con vnos. xv. a tierra firio

Commo lo comidia el q en buen ora naçio

Los ynoios ; las manos en tierra los finco

Las yerbas del campo a dientes las tomo

Lorando delos oios tanto auie el gozo mayor

Asi sabe dar omildança a alfonsso so señor

De aqsta guisa alos pies le cayo

Tan grand pesar ouo el Rey don alfonsso

Leuantados en pie ya çid campeador

Besad las manos ca los pies no

Desto non fagdes non tan auredes mi amor

Hynoios fitos sedie el campeador

Merced uos pido auos myo natural señor

Assi estando dedes me uña amor q lo oyan qntos ad

Dixo el Rey esto fare dalma y de coraçon

Aq uos pdono y douos my amor

En todo myo Reyno parte des de oy

fablo myo çid y dixo lo merced yolo Recibo alfonsso my

Gradescolo a dios del çielo y des pues auos

E a estas mesnadas q estan a derredor

Hynoios fitos las manos le beso

Leuos en pie y en la bocal saludo

            los demas desto auie sabor

        albardiz y a garcioordoñez

        myo çid y dixo esta Razon esto gradesco el çriado

        la graçia de do alfonsso myo señor

            de dia y de noch

        huesped siuos plaziesse señor

            aguisado oy

vos agua tengades y no dumemos anoch
Myo huesped seredes çid campeador
E cras feremos lo q plogiere auos
Beso le la mano myo çid lo otrigo
Allena sete omillan los yfantes de carrion
Omillamos nos çid en buen ora nasqestes uos
En qnto podemos andamos en uro pro
Aespulo mio çid assi lo mande el cader
Myo çid don diaz q en ora buena nasco
En aql dia del Rey so huesped fue
Non se puede fartar del tantol qrie de caraçon
Catandol sedie la barba q tan aynal crecie
Marauilla de mio çid qntos q y son
El dia es pallido e entrada es la noch
Otro dia manana claro salie el sol
El campeador alos sos lo mando
Q adobassen covina para qntos q y son
De tal guisa los paga myo çid el campeador
Todos son alegres y acuerdan en una sazon
Passado aute iij anos no comieran mejor
Al otro dia manana assi como salio el sol
El obpo do jheronimo la missa canto
Al salir de la missa todos juntados son
Non lo tardo el Rey la sazon enpeço
Oyd me las escuellas cuendes y yfançones

Como tor çiero vn ruego a myo çid el campeador.

Asi lo mande xpo q̃ sea aß.

bras fijas uos pido don eluira ydoña sol

es las dedes por mugieres alos yfantes de carrion

Semeiam el casamiento ondrado y cō grant pro

Ellos uos las piden y mando uos lo yo

Della y della parte quantos que aq̃ son

Della y della parte ~~quãtos~~ q̃ aq̃ son

uos mios y los uros q̃ sean rogadores

Dandos las myo çid si uos uala el cador.

Non abria fijas de casar respuso el campeador.

Ca non han grant hedand e de dias peq̃nas son

De grandes nueuas son los yfantes de carrion

Pertenecen pora mis fijas y avn pora meiores

Hyo las engendre amas y criastes las uos

Entre yo yellas en ura merçed somos nos

Afellas en ura mano don eluira ydoña sol

Dad las aq̃ quisieredes uos ca yo pagado so

Gracias dixo el rey ~~a uos y a esta~~

Luego se leuantaro los yfantes de carrion

Van besar las manos al q̃ en ora buena nacio

Camearo las espadas antel rey don alfonso

fablo el rey don alfonso como tã bue señor

Grado y gracias como tã bueno y primero al cador

Dam dades uras fijas pora los yfantes de carrion

Daqlas yfndo por mis manos don eluira y dona sol

E dolas por veladas alos yfantes de carrion

Hyo las caso a uras fijas cõ uro amor

Al criador plega q ayades ende sabor

Afellos en uras manos los yfantes de carriõ

Ellos vayan con uusco cada qui me torno yo

Trezientos marcos de plata en ayuda les do yo

Q metan en sus bodas odo q̃siedes uos

Pues fueren en uro poder en valencia lamayor

Vos yernos y las fijas todos uros fijos son

Lo q̃ uos ploguiere dellos fer campeador

Esyo çid gelos reçibe las manos le beso

Mucho uos lo grideseo cõmo a Rey y a señor

Vos casades mis fijas ca nõ gelas do yo

Has palabras son puestas q̃ ot dia mañana

Quãdo salielel sol q̃ tornalle cadauno dõ salidos son

As metio en nueuas myo çid el campeador

Tanta gruessa mula y tanto palafre de sazo

Conpeça myo çid adar aq̃en q̃ere yfnden lo dõ

Tantas buenas vestiduras q̃ daltaya son

Cada vno lo q̃ pide nadi nol dize de no

Myo çid delos cauallos Lx dio en don

Todos son pagados delas uistas quantos que y son

ysparter se quieren que entrda era la noch

El rey alos yfantes alas manos les tomo

Metiolos en poder de myo çid el campeador

Euad aqui uros fijos quando uros yernos son

Oy demas sabed que fer dellos campeador

Gradescolo rey, quando uro don

Dios que esta en çielo dem dentr buen galardon

Sobrel so cauillo bauieca myo çid saltro dauo

Aqui lo digo antre myo señor el rey alfonsso

Qui quiere yr comigo alas bodas o reçebir mi

Daqnd bara comigo cuedo qual aura pro

yo uos quiero merçed auos rey natural

Vuos que casades mys fijas asi como auos pla

Dad maño aquelas de quando uos las tomades

Non gelas dare yo q̃ con mi mano ni dad uos se alaba

Respondio el rey esto ad albarfanez

Prendellas con uras con uras manos y daldas ala

Asi como yo las quando darir como si fosse delantr

Sed padrino dellas aoad el velar

quando uos iuntaredes comigo quin digades la u

Dixo albarfanez señor yso que me plaz

Tod esto es puesto sabed en graur recabdo

Ya rey don alfonsso señor tan ondrado

Destas vistas q̃ ouiemos de my tomedes algo
Trayo uos xx palafres estos bie adobados
E xxx cauallos corredores estos bie ensellados
Tomad aq̃sto ; beso ur̃as manos
Dixo el Rey dõ alfonsso mucho me auedes enbargado
Recibo este dõ q̃ me auedes mandado
ffalega al criador cõ todos los sos s̃tos este plazer
Cõ m̃ fechez q̃ biẽ. sea galardonado
Otro ad mio cid mucho me auedes ondrado
Deuos bie so seruido ; tengon por pagado
Avn biuo seyendo de mi ayades algo
Adios uos acomiendo destas vistas me parto
ffa dios del cielo q̃ lo ponga en buẽ logar
myas espidios mio cid de so señor alfonsso
Non qere qel escurra q̃tol deso suelta
Veriedes cauallos q̃ bie andantes son
Besar las manos espedir se delrey alfonsso
Merçed uos sea ; fazed nos este perdon
Yuamos en poder de myo cid a valencia la mayor
Seremos alas bodas delos yfantes de carrio
E de las fijas de myo cid de dõ eluira ; doña sol
Esto plogo al rey ; auedes los solto
La compaña del cid crece ; la del Rey mengo

grandes son las ġ van conel campeador
adelinan pora valencia la ġ en buen puto gan̄o
a don fernando · a dō diego aguardar los mād
apero vermuez · muno gustioz
ēcasa de myo ęid no a dos meiores
ġ sopieſſen los māias de los ẏfantes de carrion
e vay a tur ġez ġ era buhdoz
ġ es largo de lengua mas en lo al no es ān pto
grānt ondra les dan alos ẏfanta de carrion
afelos en valencia la ġ myo ęid g̃an̄o
ęndo a ella aſſōmaro los gozos son mayores
dıxo myo ęid adō pº a muno gustioz
dad les ṽı reꝫal · alos ẏfantes de carrion
vos cō ellos sed ġ aſſi uos lo mādo vo
ęndo ṽınıeren lomān
veyan ꝼıus eſpoſas ado eluıra · a dona ſol
todos eſſa noch ꝼuero aſus poſadas
ꝑyo ęid el campeador al alcagar entraua
recibiolo doña ximena · ſus fiias amas
venıdes campeadoꝛ buena ęınꝛeſtes eſpada
muchos dıas uos ṽeamos cō los oıos delas cara
ęndo alı́adoꝛ venꝫo muÿ ondrada
huyerñs uos a duꝝo de ġ auremos ondrança
grā́dado melo mıϼ fiias ca bıē uos he caſadas

Besaron las manos la mugier e las fijas amas

E todas las dueñas q̃ las siruen

Grado al criador y a uos çid barba uellida

Todo lo q̃ nos fechos es de buena guisa

Non seran menguadas en todos uros dias

Quãdo uos nos casaredes bien seremos ricas

Mugier doña ximena grado al criador

Auos uos digo mis fijas don eluira y doña sol

Destte uuestro casamiento creçremos en onor

Mas bien sabet uerdad q̃ non lo leuante yo

Pedidas uos ha y rogadas el myo señor alfonsso

Atan firme mientre e de todo coraçõ

Q̃ yo nulla cosa nol sope dezir de no

Metiuos en sus manos fijas amas ados

Bien melo creades q̃ el uos casa ca nõ yo

Penssaron de adobar essora el palaçio

Por el suelo e suso tã bien encortinado

Tanta porpola e tanto xamed y tanto paño preçiado

Sabor abriedes de ser y de comer enel palaçio

Todos sus caualleros a priessa son juntados

Por los yfantes de carrion essora enbiarõ

Caualgan los yfantes adelant adeliñauan al palaçio

Con buenas uestiduras e fuerte mientre adobados

De pie y a sabor dios q̃ q̃dos entrarõ

Recibiolos myo çid con todas sus dueñas
ael y a su mug̃ delant selos omillaua
E yua polar en un pñoso escaño
Todas las x myo çid tã biē sõ mandadas
estan parando mientres alg en bue na uada
El campeador en pie es leuantado
Pues q̃ afazer lo auemos por q̃ lo uamos uaid
Venit aca albarfanez el q̃ yo q̃ro amo
assi amas mis figas eneruelis en uñr mano
Sabedes q̃ al Rey assi gelo he mandado
no lo dero falir por nada de q̃to ay parado
alas miñas dexiron dad las con uñr mano
E prendan bendiçiones vayamos Recabdado
esto diro minaya este fare uos de grado
Leuantan se derechas e meteselas en mano
alos ifantes de carrion minaya ha fablado
oidnos delant minaya amos lidas hermanos
a mano del Rey alffonllo q̃ a mi lo ouo mãdo
nouos dare ellas dueñas amas son figas dalgo
Elas omillaes por mugieres a ondra a uos
amos las reçiben damor de grado
al myo çid y a su mug̃ uan besar las manos
Quando ouiron aq̃sto fecho salierō del palaçio
para sãta  ela uessa adeliñando

El obpo don ӿronimo libros tan priuado

A la guerra deli ecclgria fidellos ǵhando

Doles bendictiones la misli a cantado

Al salir dela ecclia caualgaro tā priuado

A la glera de valencia fuera dierō salto

Dios q̃ bie touieron armas el cid e sus vaſſalos

Tres cauallos cameo el q̃ en buē ora nasco

Mio cid delo q̃ veye mucho era pagado

Los yfantes de carron bie an caualgado

Tornan se cō las dueñas abuelca an entrado

Ricas fueron las bodas enel alcacar ondrado

Cal otro dia fizo mio cid fincar .vij. tablados

Antes q̃ entraſſen auantar todos los ābramaro

Quize dias cōplidos durarō en las bodas

Ya çerca delos .xv. dias yas uan los fijos dalgo

Oxo cid dō ʒodrigo el q̃ en buē ora nasco

Entre palefres e mulas e corredores cauallos

En bestias fines al .C. son mandadas

Mantos e pelicones e otros vestidos largos

Non fueron en cuenta los aueres monedados

Los vaſſallos de mio cid asſi son acordados

Cada vno por si sos dones auien dados

El auer q̃ es puder bien era abastado

Ricos tornan a castiella los q̃ alas bodas legaron
Hyas yuan partiendo aq̃ltos ospedados
Espidiendos de Ruy diaz el q̃ en buē ora naço
Ea todas las dueñas ; alos fijos dalgo
Por pagados se parte de myo çid ; de sus vassallos
Grant bien dizē deyos dellos ca sem aguisado
Mucho era alegres diego ; frō
Estos fueron fijos del conde don gonçalo
venidos son acastiella aq̃stos ospedados
El çid ; los hyernos en valença son mi
Hy moran los yfantes bien çerca de dos años
Los amores q̃les fazen mucho eran sobeia
Alegre era el çid ; todos sus vassallos
Plega a sc̃a maria ; al padre sc̃o
Q̃s page del casamiento myo çid o el q̃
Las coplas deste cantar aq̃s van acaban
El criador uos valla con todos los los sc̃os
En valença seye myo çid con todos sus vassallo
Con el amos sus yernos los yfantes de carriō
Yazies en vn escaño durmie el campeador
Mala sobreuienta sabed q̃ les cuntio
Salios dela red ; desatos el leon
En grant miedo se vieron ; por medio dela cort
Enbraçan los mantos los del campeador
E çercan el escaño ; fincan sobre so señor

ferrun gçlez no vio alli dos alçasse ni camara abierta ni tor  
Metios sol el escaño tanto ouo el pauor  
Diego gçlez por la puerta salio  
Diziendo dela boca non vere carrion  
Tras vna viga lagar metios con grant pauor  
El manto y el brial todo suzio lo saco  
En esto desperto el q en buē ora nacio  
Vio çercado el escaño de sus buenos varones  
Çesto mesnadas oq qredes uos  
Ya señor ondrado Bebata nos dio el leō  
Myo çid finco el cobdo en pie se leuanto  
El manto trae al cuello y adelino para leō  
El leon qndo lo vio alli en vergonço  
Ante myo çid la cabeça premio y el rostro finco  
Myo çid don Rodrigo al cuello lo tomo  
Eleua lo adestrando enla Red le metio  
Amaruilla lo han qntos q y son  
E tornos al apalacio para la cort  
Myo çid por sos yernos demando y nolos fallo  
Maguer los estan lamando nigu no non Responde  
Qndo los fallaron y ellos vinero alli vinero sin color  
Non viestes tal guego como yua por la cort  
Mandolo vedar myo çid el campeador  
Muchos touiero por enbaydos los ynfantes de carrion  
Fiera cosa les pesa desto q les cuntio  
Ellos enesto estando don auien grant pesar

fueros de marruecos ualençia uienen çercar
Cinquenta mill tiendas fincadas ha delas cabdales
Aqueste era el Rey bucar sil ouiestes contar
Alegrauas el çid y todos sus uarones
Que les creçe la ganançia grado al Criador
Mas sabed de cuer les pesa alos yfantes de carrion
Ca veyen tantas tiendas de moros de q̃ non auie sabor
Amos hermanos apart salidos son
Catamos la ganançia y la perdida no
ya en esta batalla a entrar abremos nos
esto es aguisado por non ver carrion
Bibdas remandran fijas del campeador
Oyo la poridad aql muño gustioz
Vino con estas nueuas amyo çid Ruydiaz el campeador
Euades q̃ pauor han uuestros yernos tan osados
por entrar en batalla desean carrion
Hyd los conortar sinuos uala el Criador
Que sean en paz y non ayan y raçion
Nos con uusco la uençremos y ualer nos ha el Criador
Myo çid don Rodrigo sonrrisando salio
Dios uos salue yernos yfantes de carrion
En braços tenedes mis fijas tan blancas commo el sol
Hyo desseo lides y uos a carrion
en ualençia folgad a todo uuestro sabor
Ca daquelos moros yo so sabidor
Arrancar melos treuo con la merçed del Criador

Aun vea el ora q̃ uos meresca dos tãto
en una conpaña tornados son amos
Alli lo otorga don po cuemo se alaba ferrando
Plogo a myo çid y a todos sus uassallos
Aun dios q̃ uate y el padre q̃ esta en alto
Amos los myos yernos buenos seran en canpo
Esto van diziendo y las yentes se alegrando
En la vesta delos moros los atamores sonando
A marauilla lo auien muchos dellos xp̃ianos
Ca nunca lo uieran ca nueuos son legados
Mas se marauillan entre diego y ferrando
Por la su voluntad non serien alli legados
Oyd lo q̃ fablo el q̃ en buen ora nasco
Ala po vermuez el myo sobrino caro
Curies me a diego y curies me a don ferrando
myos yernos amos ados la cosa q̃ mucho amo
Ca los moros con dios non fincaran en canpo
Hyo uos digo çid por toda caridad
que oy los yfantes ami por amo non abran
Curielos q̃ qer ca dellos poco min cal
Hyo con los myos ferir q̃ero delant
vos con los uños firme mientre ala çaga tengades
Si cueta fuere bien me podredes huuiar
Aqui lego mynaya albarfanez oyd ya çid canpeador leal
Esta batalla el criador la fera
Y uos tan dinno q̃ con el auedes part
Mandad nolos ferir de qual part uos semeiar

Atanto q̃ a ella bien complir son
Ueye los herues andes con la h[...]
Dyn mucad ayamos mas a bagar
Aimos el obpo do Ihominio mny bie armado
[...]nuas de las alcampadas [...]p de la bue a[...]
Ouier djo la mulla de la [...]dade
[...] s[...] las de mi [...] hin nos buene
[...] fure q̃ uuiejo don [...]u nuouo menor
Eguarden misshanos q̃ua las onbur[...]
En aluos far de yo qero ue delant
[...]den [...] a cuus [...]euus de heal
Di [...]le abes arma las en luoar
[...]uacon q̃ judiell[...] folgar
[...]ye q̃d de mi mio uos pagar
[...]i ella amui no fachos yo deuos me doro [...] por
Calua djo mio q̃d lo q̃ uos qredes plat me
Ala los manos a mi id los en luoar
Los diuu baxmos ons lidya el albar
Clobpo do Ihominio p[...] aespolonada
Euua los feru a cabo del albergada
[...]s le su bouum obeos al amana
Alos p[...]us alpee dos moros matara dela [...]
Clabil a abr[...] i mato medio al espada
En las ditas el obpo dios q̃ bie lidiaua
Dos mato c[...] lanca [...]. e el espada

Los moros son muchos derredor le cercauan

Dauan le grandes colpes mas nol falssan las armas

El q(ue) en buen ora nasco los oios le fincaua

Enbraço el escudo e abaxo el asta

Aguijo a bauieca el cauallo q(ue) bien anda

Hiua los ferir de coraçon e de alma

En las azes primas el campeador entraua

Abatio a .vij. e a iiij. mataua

Plogo a dios aq(ue)sta fue el arrancada

Myo çid co(n) los suyos cae en alcança

Veriedes q(ue)brar tantas cuerdas · e arrancar se las estacas

e acostar se los tendales · co(n) huebras eran tantas

Los de myo çid a los de bucar delas tiendas los sacan

Sacan los delas tiendas caen los en alcaz

Tanto braço co(n) loriga veriedes caer a part

Tantas cabeças co(n) yelmos q(ue) por el campo caen

Cauallos sin duenos salir a todas partes

...en mjentre enpleastis donde el gardar

Myo çid al rey bucar cayol en alcaz

Aca torna bucar venist dalent mar

Veras te co(n) el çid el dela barba grant

Saludar nos hemos amos · e taiaremos amistad

Respuso bucar al çid co(n)funda dios tal amistad

El espada tienes desnuda en la mano e veo te aguijar

Assi como semeia en mi la q(ue)rras ensayar

Mas ſi el cauallo non eſtropieça o comigo no caye
Non te iuntaras comigo fata dentro en la mar
Aqui ſelpuſo myo çid eſto non ſera verdad
Buen cauallo tiene bucar y grandes ſaltos faz
Mas bauieca el de myo çid alcançando lo va
Alcançolo el çid a bucar atres braças del mar
Arriba alço colada vn grant colpe dadol ha
Las carbonclas del yelmo tollidas gela ha
Cortol el yelmo y librado todo lo hal
Fata la çintura el eſpada legado ha
Mato a bucar al Rey de alen mar
E gano atizon que mill marcos doro val
Vençio la batalla marauilloſa y grant
Aqus ondro myo çid y quātos conel ſon
Con eſtas gananças yas yuan tornado
Saber todos de firme Robauan el campo
Alas tiendas erā legados do eſtaua
El que en buen ora naſco
Myo çid Ruy diaz el campeador contado
Con dos eſpadas que el preçiaua algo
Por la matança vinia tan priuado
La cara fronzida y almofar ſoltado
Cofia ſobre los pelos fronzida della ya quanto
Algo vie myo çid delo que era pagado
Alço los oios eſteua adelant catando .

Vio venir a diego ; a fernando
Amos son fijos del conde don goçalo
Alegros myo çid fermoso sonrrisando
Venides myos yernos myos fijos sodes amos
Deq̃ de lidiar bie sodes pagados
A carrion de uos iran buenos mandados
Como al Rey bucar auemos arrancado
Como yo fio por dios ; en todos los los sc̃os
Desta arr̃icada nos n̄emos pagados
Mynaya albarfanez ellora es legado
El escudo tr̄e al cuello ; todo espado
Delos colpes delas lanças non auie Recabdo
A q̃los q̃ gelos dieran no gelo auien logrado
Por el cobdo ayuso la sangre destellando
De q̃ arriba ha moros matado
De todas partes los vassalos lun legando
Grad o adios ; al padre q̃ esta en alto
Çauos çid q̃ en bue ora fuestes nado
Matastes abucar ; arrancamos el canpo
Todos estos bienes deuos son ; de n̄os vassallos
E uros yernos aq̃ son en lidados
Fartos de lidiar con moros enel campo
Dixo myo çid yo desto lo pagado
Quãdo agora son buenos adelant seran p̃ciados
Por bien lo dixo el çid mas ellos lo touiero ā mal

Todas las ganançias a valençia son legadas
Alegre es mio çid con todas sus cõpañas
Q' ala raçion caye seys çientos marcos de plata
Los yernos de myo çid qñdo este auer tomaron
Desta arrancada q' lo tenien en so saluo
Cuydaron q' en sus dias nũqua serien mjnguados
ffuero en valençia muy bie arreados
Con duchos a lizones buenas pieles, buenos mãtos
Muchos son alegres myo çid, sus vassallos
Grant fue el dia la cort del campeador
Despues q' esta batalla vençieron, al rey bucar m
Alço la mano ala barba se como
Grado a xp's q' del mudo es señor
Qñdo veo lo q' auia sabor
Q' lidiaran comigo en campo mjos yernos amos a
Mandados buenos yran dellos a carrion
Como son ondrados, a uer vos grant pro
Soberanas son las ganançias q' todos an ganan
Lo vno es nro lo otro han en saluo
Mando myo çid el q' en buen ora nasco
Desta batalla q' han arrancado
Q' todos p'siessen so derecho contado
A la su quinta non fuesse olbidado
Assi lo fazen todos ca eran acordados
Cayeron le en quinta al çid seyx çientos cauallos

Todas azemillas · e camelos largos
Tantos son de muchos q̃ non serien contados
Todas estas ganançias fizo el campeador
Grado ha dios q̃ del mundo es señor
Antes fu menguado agora rico so
Oy he auer · tũa · e ãos : onor
Son myos yernos yfantes de carrion
Arranco ____ des como plaze al cador
Moros ____ de mi han grant pauor
Ala dentro en marruecos olas mezquitas son
Q̃ abran ____ salto q̃ab alguna noch
Ellos lo tiemen ca non le piesso yo
____ busсar en valençia sere yo
Ellos me daran parias con aiuda del cador
Et faguen ami o a q̃ yo ouier sabor
Grandes son los gozos en valençia cõ myo çid el campeador
De todas sus compañas · de todos sus vassallos
Grandes son los gozos de sus yernos amos ados
Da esta arrancada q̃ lidiaro de coraçõ
Valia de çinco mill marcos ganaron amos ados
Muchos tienen por ricos los yfantes de carriõ
Ellos cõ los otros vinieron ala cort
Aq̃ esta cõ myo çid el obpo do jhonimo
El bueno de albarfanez cuallo lidiador
E otos muchos q̃ crio el campeador
Quãdo en truio los yfantes de carrion

Reçibiolos minaya por myo çid el campeador
Aca venid cuñados q̃ mas valemos por uos
Alli como legaron pagos el campeador
Euades aq̃ yernos la mi mug̃ de pro
Eamos la mys fijas don eluira y doña sol
Bie uos abraçen y siruã uos de coraçon
Vençiemos moros en campo y matamos
A aq̃l rey bucar traydor prouado
Grado a sc̃a m̃ madre del nr̃o señor dios
Destos nr̃os casamiemos uos abredes honor
Buenos mandados yran a tr̃ras de carrion
Destas palabras fablo feran g̃lez
Grado al cñor y a uos çid ondrado
Tantos avemos de aueres q̃ no son contados
Por uos auemos ondra y auemos lidiado
Pelad delo al q̃ lo nr̃o tenemos lo en saluo
Vassallos de myo çid seyen le sonrrisando
Qen lidiara meior o qen fuera en alcanço
Mas non fallaua y a diego ni a fernãdo
Por aq̃stos guegos q̃ yuan leuantado
Elas noches y los dias tan mal los escarmenado
Tan mal se conssejaron estos yffantes amos
Amos saliero a part vera mientre son h̃manos
Desto q̃ ellos fablaron nos parte non ayamos
Vayamos para carrion aq̃ mucho de tardamos
Los aueres q̃ tenemos grandes son y sobeianos
Mientra q̃ bisq̃remos despender no lo podremo
Pidamos nr̃as mugieres al çid campeador

Digamos q̃ las leuaremos atñas de carrion
Enseñar las hemos dodas Hedades son
Sacar las hemos de valencia de poder del campeador
Despues en la carrera feremos ñro labor
Ante q̃ nos rettayan lo q̃ cuntio del Leon
nos de natura somos de condes de carrion
Aueres leuaremos grandes q̃ valen grãt valor
escarniremos las fijas del campeador
Daqstos aueres siemp seremos ricos omes
podremos casar cõ fijas de Reyes o de enpadares
Ca de natura somos de condes de carrion
Assi las escarniremos alas fijas del campeador
Antes q̃ nos rettayan lo q̃ fue del Leõ
Con aq̃ste conseio amos tornados son
fablo ferran glez y fizo callar la cort
assi uos vala el ciador cid campeador
q̃ plega a doña ximena y pmero auos
E a mynaya albarfanez y a q̃ntos aq̃ son
Dad nos ñras mugieres q̃ auemos abendiçiones
Leuar las hemos atñras tierras de carrion
Meter las hemos en las villas
q̃ les diemos por arras y por onores
Vern ñras fijas lo q̃ auemos nos
Los fijos q̃ ouieremos en q̃ auran particion
Dixo el campeador daruos he mys fijas y algo dele myo
El cid q̃ nos curiaua de alli ser afontado          saurio
vos les diestes villas e tñras ... por arras e tñras de
Hyo q̃ero les dar axuuar uj mill marcos de plata
Daruos mulas y palafres muy gruessos de sazon

Cauallos pora en diestro fuertes z corredores
O muchas vestiduras de paños z de ciclatones
Dar uos he dos espadas aceros z tizon
que lo sabedes uos q las gane aguisa de varon
Mios fijos sodes amos qndo me fijas uos do
Alla me leuades las telas del coracon
q lo sepan en gallizia yen castiella yen leon
Con q riq̃za en bio mios yernos amos ados
A mis fijas siruades q uras mugieres son
Si bien las seruides, yo uos rendre bue galardon
Otorgado lo han esto los yfantes de carrion
Aqui reciben las fijas del campeador
Compiecan a recebir lo q el cid mando
qndo son pagados atodo lo sabor
Vua mandaua cargar yfantes de carrion
Grandes las nueuas por valencia la mayor
Todos prenden armas z caualgan a vigor
Por q escurre sus fijas del campeador arras de carrion
Hya qere caualgar en espidimiento son
Amas hermanas don eluira z doña sol
Fincaron los ynoios antel cid campeador
Merced uos pedimos padre sius uala el criador
Vos nos engendrastes nra madre nos pario
Delant sodes amos señora z señor
Agora nos en biades arras de carrion

debdo nos es a cunplir lo q mandaredes vos
Alli uos pedimos merçed nos amas ados
Hy ayades uros mesures en tierras de carrio
Abraçolas myo çid . saludolas amis ados
El fizo aqsto la madre lo doblaua
Andad fijas daq el criador vos vala
De mi, de uro padre bie auedes nuestra graçia
Yd a carrio do sodes heredadas
Asi como yo tengo bie uos he casadas
Al padre ,a la madre las manos les besaua
Amos las bendixiero, dieron les su graçia
Myo çid, los otros de cavalgar penssaua
A grandes guarnimentos aquellos, y armas
Hya salen los yfantes de valençia la clara
Esprandose las dueñas, de todas sus compañas
por la huerta de valençia teniendo salen armas
Alegre va myo çid co todas sus compañas
violo en los aueros el q en bue ora çinxo espada
Hestos casamientos non seren sin alguna tacha
Non puede repentir q casadas las ha amas
Obetes myo sobrino felez munoz
Primo eres de mis fijas amas dalmj de coraçon
Mando q vayas co ellas fata dentro en carrion
veras las heredades q amis fijas dadas son
Con aqstas nueuas vernas al campeador
Dixo felez munoz plazme dalma, de coraçon

Minaya albarfanez ante myo çid se paro
Tornemos nos çid a valençia la mayor
Q si a dios ploguiere, al padre tadar
Hia las hemos ver a tirras de carrion
A dios uos hacomendamos don eluira y doña sol
Atales colas fed q en plazer caya a nos
Respondien los yernos alli lo mande dios
Grandes fueron los duelos a la de particion
El padre con las fijas loran de coraçon
Assi fazian los cauallos del campeador
Oyas sobrino tu feles munoz
Por molina yredes vna noch y yazredes
Saludad a myo amigo el moro abengaluon
Reçiba a myos yernos como el pudier mejor
Dil q en bio mis fijas a tirras de carrion
Delo q ouiere huebos siruan las a so sabor
Desi escurralas fasta medina por la mi amor
De quanto el fiziere yol dar por ello bue gualardon
Cuemo la vña dela carne ellos partidos son
Hyas torno pora valencia el en bue ora nascio
Pienssan se de yr los ifantes de carrion
Por sancta maria dalua razon fazian la posada
Aguijan quanto pueden ifantes de carrion
felos en molina con el moro abengaluon
El moro quando lo sopo plogol de coraçon
Saliolos recebir con grandes auorozes
Dios q bie los siruio a todo so sabor

Otro dia mañana con ellos caualgo
Con dozientos cauallos escurrir las mando
Hyuan troçir los montes los q̄ dizen de luzon
Alas fijas del çid el moro sus donas dio
Buenos seños cauallos alos yfantes de carrion
Troçieron arbuxuelo, legaron a silon
O dizen el ansarera ellos posados son
Tod esto les fizo el moro por el amor del çid campeador
Ellos veyen la riq̄za q̄ el moro saco
Entrermos hermanos consseiaron traçion
Hya pues q̄ adexar auemos fijas del campeador
Si pudiellemos matar el moro abengaluon
Quanta riq̄za tiene auer la yemos nos
Tan en saluo lo abremos commo lo de carrion
Siq̄nq̄ aurie derecho de nos el çid campeador
Quando esta falssedad dizien los de carrion
vn moro latinado bien gelo entendio
Non tiene poridad dixolo a bengaluon
Acayaz curiate destos ca eres myo señor
Tu muert oy colseiar alos yfantes de carrion
El moro abengaluon mucho era buen barragan
Co dozientos q̄ tiene yua caualgar
Armas yua teniendo paros ante las yfantes
Delo q̄ el moro dixo alos yfantes non plaze
Dezid me q̄ uos fiz yfantes de carrion
Hyo siruiendo uos sin art, uos consseiastes para mi muert
Si nolo dexas por myo çid el de biuar

Tal cosa uos farien que enel mundo sonas  
...... leuaua las fijas del campeador  
...... dizian entreuos ambos amos  
Aqui parten de nos ...... de nos de amos  
...... ermita de sant eluan ben lo  
...... las nueuas ......  
...... la mar ...... enel mundo es  
...... uiaiamos ...... grade linaie  
...... fecho el ...... ......  
...... fijas amos ......  
...... las bole felo a abaxa ......  
...... enfelantes los ifantes de carrion  
...... la noch  
...... pena muy fuert  
...... le estan  
...... uyan a eluadon  
...... que alamos poblo  
...... en cuero  
...... mas cae aluen  
...... al robredo de corpes  
...... las ramas puian ôlas nues  
...... que andan aderredor  
...... con una limpia fuent  
...... la tienda ifantes de carrion  
...... que ellos tien y azen ella noch  
...... mugieres en braços demuestran les amor  
...... gelo cumplien qudo salie el sol  
...... daron cargar las acemilas cô grades auercs

Cogida ██████████████████ raçion demos

Adelant ███████████████████

Alli lo mandaron ███████████ carrion

E non vinicie ninguno mug nin baron

███████████████████ eluas y doña sol

███████ le genes en ella █████ ni saber ██

Solos eran pios ellos iiij solos son

Tanto mal conocieron los ifantes de carrion

Bien lo creades don ████████ doña sol

Aqui seredes escarnidas en estos fieros montes

Oy nos partiremos deradas seredes de nos

Non abredes part en tierras de carrion

████████ aquestos mandados al çid campeador

E los vengaremos aquesta por la del leon

Alli les tuellen los mantos y los pellicones

Paran las en cuerpos y en camisas y en ciclatones

Espuelas tienen calçadas los malos traydores

En mano prenden las cinchas fuertes y duradores

Quando esto vieron las buenas fablaua doña sol

Por dios nos rogamos don diego y don fernando

Dos espadas tenedes fuertes y tajadores

Al una dizen colada y al otra tizon

Cortandos las cabeças martires seremos nos

Moros y xpianos ███████████████ baron

Es por lo q nos merecemos no lo prendemos nos

A tan malos ensiemplos non fagades sobre nos

Si nos fueremos majadas abiltaredes auos

Retraer nos lo an en vistas o en cortes

no q̃ ruegan las dueñas nõ las ha ningun pro

Essora les compieçan adar los jfantes de carrion

Con las cinchas corredizas majan las tã sin sabor

Con las espuelas agudas don ellas an mal sabor .

ronpien las camisas . las carnes aellas amas ados

limpia sale la sangre sobre los ciclatones

ya lo sienten ellas en los sos coraçones

qual . Q̃l Ventura serie esta si ploguiesse al Criador

q̃ assomasse essora el cid campeador

Tãto las majaron q̃ sin cosimente son

Sangrientas en las camisas . todos los ciclatones

Cãsados son de ferir ellos amos ados

ensayandos amos q̃l dara mejores colpes

Mjo no pueden fablar don eluira . dona sol

Por muertas las dexaron en el robredo de corpes

Leuaron les los mantos . las pieles armiñas

Mas dexan las marridas en briales y en camisas

Ealas aues del monte . y alas bestias dela fiera guisa

Por muertas la dexaron sabed q̃ no por biuas

Q̃l Ventura serie si assomas essora el cid campeador

Los jfantes de carrion en el robredo de corpes

Por muertas las dexaron

Q̃ el vna al otra nol torna recabdo

Por los montes do yuan ellos yuan se alabando

De nr̃os casamientos agora somos vengados

Non las deuiemos tomar por varraganas

Si non fuessemos rogados

Pues nuño garçiaz non era peña en hiscos
La desondra del leon assis va vengando
Alabandos yuan los yfantes de carrion
Mas yo uos dire daql felez muñoz
Sobrino era del çid campeador
Mandaron le ir adelante mas de su grado no fue
En la carrera do yua doliol el coraçon
De todos los otros aparte se salio
En un monte espesso felez muñoz se meto
Fasta q viesse venir sus primas amas ados
O q an fecho los yfantes de carrion
Violos venir e oyo una razon
Ellos nol veen ni dand sabien razon
Sabet bien q si ellos le viessen non escapara de muert
Vanse los yfantes aguisa aespolon
Por el rastro tornos felez muñoz
Fallo sus primas amorteçidas amas ados
Lamando primas primas luego descaualgo
Arrendo el cauallo a ellas adelino
Ya primas las mis primas don eluira e doña sol
Qual se ensayaro los yfantes de carrion
A dios plega e a sca maria q dent prendan ellos mal galardon
Valas tornando a ellas amas ados
Tanto son de traspuestas q non pueden dezir nada
Partieronsele las tellas de dentro de los coraçones
Lamando primas primas don eluira e don sol
Despertedes primas por amor del criador

... su arte q̃ entre la noch ...
los grandes fieres non nos coman en aqūeste mont ...
Van demudando don eluira τ doña sol
abrieron los oios τ vieron afelas mucier
Esforçad nos p̃mas por amor del criador
Del qⁿ non nos fallaren los yfantes de carrion
acenyr yella sere buscado vos
Señas no nos vale aqui morremos nos
Tan a grant duelo fablaua doña sol
sines lo meresca mio p̃mo vn padre cõp̃dor
andes delagua si uos vala el bidor
Con vn sombrero q̃ tiene felez muñoz
nueuo era τ fresco q̃ de ualencial saco
Cogio del agua enel τ aالسس p̃mas dio
εϱ duelo son lazradas τ amas las sano
Tanto las rogo fata q̃ las assento
valas conortando τ metiendo coraçon
fata q̃ el fuerzan τ amas las tomo
τ apriesa enel cauallo las caualgo
Con el so manto τ amas las cubrio
εl cauallo p̃so por la rienda τ luego dõ las vay ...
por los montes p̃ los robredos de corpes
entre noch τ dia salieron delos montes
alas aguas de duero ellos arribados son
ala torre de don urraca elle las dexo
alamentauan vⁿo felez muñoz
fasta Sanct esteuan el q̃ de albarfanez fue ...

effida el lo ojo pelf de coraçon
y crilo beſtiaſ y beſtidos de pra
ynua recebir a don eluira y a doña sol
en ſancteſteuan dētro laſ meue
offeo el meior puede allí laſ ondra
los de ſancteſteuā fiemṗ meſuradoſ ſon
quādo la bien eſto peſoleſ de coraçon
ellaſ fijaſ del çid dan leſ eſfuerço
alli ouieron ellaſ fieꝛ q̄ ſanaſ ſon
uuieꝛaſ ſeɲ̃ loſ yfanteſ de carrion
de cuer peſo eſto al buē rey don alfonſſo
por eſteſ mandados a ualençia la mayor
quādo velo dizen a myo çid el campeador
una grand ora penſſo comidio
alço la ſu mano a la barba ſe tomo
grado a xpō q̄ del mūdo el ſeñor
effido tal ondꝛa me ā dada loſ yfanteſ de carrion
por aqſta barba q̄ nadi non meſſo
nō la logꝛaran loſ yfanteſ de carrion
q̄ a miſ fijaſ biē laſ caſare yo
dolo a myo çid vueda ſu coꝛꝛ albar fanez dalma y de coꝛaçõ
caualgo mynaya adō po bermuez
y martin antolinez el burgaleſ de pro
conel .C. caualloſ qlſ myo çid mando
quelos fueſſe recibir ē q̄ andidieſſen de die de noch
uerie ſer allas fijaſ a ualençia la mayor

Non lo detardan el mandado de su señor
A ella caualgan los dias ; las noches andan
Vinieron a sancistеuan de gormez vn castiello tñ fuert
Hy albergaron por verdad vna noch
A sancistеuan el mãdado lego
Q̃ vinie mynaya por sus primas amas ados
Varones de sancistеuan a guisa de muy pros
Reciben amynaya ; atodos sus varones
Presentan a mynaya ella noch grant enfurçion
Non gelo q̃ tomar mas mucho gelo gradio
Gracias varones de sancistеuan q̃ sodes conoscedores
Por aq̃sta ondra q̃ vos diestes a esto q̃ nos cuntio
Mucho uos lo gradece alla do esta myo çid el capeador
Assi lo fago yo q̃ aq̃ esto
Alse dios delos çielos q̃ uos de dent buẽ galardon
Todos gelo gradecen ; los pagados son
Adelinan a posar pora folgar ella noch
Mynaya ver va uer sus primas do son
Enel fincan los oios don eluira ; doña sol
Atanto uos lo gradimos como si viessemos al criador
Euos a el lo gradid qñdo biuas somos nos
En los dias de vagar toda nñ rencura sabremos contar
Lorauan delos oios las dueñas ; albarfanes
E pero vermuez otro tanto las ha
Don eluira ; doña sol cuydado non ayades
Qñdo uos sodes sañas ; biuas ; sin otro mal
Buen casamiento perdiestes meior podredes ganar

Avn veamos el dia que vos podamos bengar
Uy iazen esta noche y tan grand gozo que fazen
Otro dia mañana pienssan de caualgar
los de santesteuan escurriendo los van
ffata rrio damor dando les solaz
Dallent se espidieron dellos pienssan se de tornar
E mmaya con las dueñas yua cabadelant
Trogieron alcoçeua adiestro de santesteuan de gormaz
O dizen bado de rey alla yuan posar
A la casa de berlanga posada presa han
Otro dia mañana meten se a andar
A qual dizen medina yuan albergar
E de medina a molina en otro dia van
Al moro auengaluon de coraçon le plaz
Saliolos a rebçebir de buena voluntad
Por amor de myo çid rica cena les da
Dent pora valençia adelinechos van
Al que en buen ora nasco legaua el menssaie
Priuado caualga a rebçebir los sale
Armas yua teniendo y grant gozo que faze
Myo çid a sus fijas yua las abraçar
Besando las a amas tornos de sonrrisar
Venides mis fijas dios uos curie de mal
Yyo tome el casamiento mas non ose dezir al
Plega al criador que en çielo esta
Que uos vea meior casadas da qui en adelant
De myos yernos de carrion dios me faga bengar
Besaron las manos las fijas al padre

Teniendo yuan armas en razon le ala cibdad
grand gozo fizo co ellas doña ximena su madre
El q̃ en buen ora nasco no q̃lo tardar
fablos co los sos en su poridad
Al rey alfonso de castiella penso de enbiar
Oyes muño gustioz myo vassallo de pro
En buen ora te crie ati en la mi cort
lieues el mandado a castiella al rey alfonso
Por mi besa le la mano dalma y de coraçon
Cuemo yo so su vassallo y el es myo señor
desta desondra q̃ mean fecha los ifantes de carrion
Ql pese al buen rey dalma y de coraçon
El caso mis fijas ca no gelas di yo
Quando las han dexadas agrant desonor
Si desondra y cabe alguna cõtra nos
la poca y la grant toda es de myo señor
Myos aueres se me an leuado q̃ sobejanos son
Esso me puede pesar co la otra desonor
Aduga melos aviestas o a juntas o a cortes
Como aya derecho de ifantes de carrion
Ca tan grant es la rencura dentro en mi coraço
Muño gustioz priuado caualgo
Con el dos caualleros q̃l siruan a so sabor
Con el escuderos q̃ son de criazon
Salien de valencia y andan quanto pueden
nos dan vagar los dias y las noches

Al rey en sanfagunt lo fallo
Rey es de castiella y rey es de leon
y delas asturias bie a san saluador
fasta dentro en sci yaguo de todo es señor
Ellos condes gallizanos a el tiene por señor
Assi como descaualga aql muño gustioz
Omillos alos santos y rogo acriador
Adelino paral palacio do estaua la cort
Con el dos caualleros ql aguardan cu a señor
Assi como entron por medio dela cort
violos el rey y conoscio a muño gustioz
Leuantros el rey ta bie los recibio
Delant el rey finco los ynoios aql muño gustioz
Besaba le los pies aql muño gustioz
Merçed rey alfonsso de largos reynos a uos dize señor
Los pies y las manos uos bela el campeador
Ele es uro uassallo y uos sodes so señor
Casestes sus fijas co ynfantes de carrion
Alto fue el casamiento ca lo qsiestes uos
Ya uos sabedes la ondra q es cuntida a nos
Cuemo nos han abiltados yfantes de carrion
Mal maiaron sus fijas del çid campeador
Maiadas y desnudas a grande desonor
Desenparadas las dexaron enel robredo de corpes
Alas bestias fieras y alas aues del mont
Afelas sus fijas en valençia dson

Por esto uos besa las manos como vassallo a señor
Q gelos leuedes a uistas o a iuntas o a cortes
Tienes por desondrado mas la uña es mayor
E q uos pese Rey como sodes sabidor
Q aya myo çid derecho de yfantes de carrion
El Rey vna grand ora callo; comidio
Verdad te digo yo q me pesa de coraçon
E verdad dizes en esto tu muño gustioz
Ca yo case sus fijas cõ yfantes de carrion
Fiz lo por bien q fuesse a su pro
Si qer el casamiento fecho non fuesse oy
Entre yo; myo çid pesa nos de coraçon
Aiudar le a derecho sin salue el criador
Yo q non cuydaua fer de toda esta sazon
Andaran myos porteros por todo myo Reyno
Pregonaran mi cort pora dentro en tolledo
Q alla me vayan cuendes; yfançones
Mandare como y vayan yfantes de carrion
E como den derecho a myo çid el campeador
E q non aya Rencura podiendo yo vedallo
Dezid le al campeador q en buẽ ora nasco
Q destas vi; ij semanas adobes cõ sus vassallos
Vengam a tolledo estol do de plazo
Por amor de myo çid esta cort yo fago
Saludad melos a todos entrellos aya espaçio

Desto q̃ les abino aun bien serã ondrados

Aspidios muño gustioz a myo çid es tornado

Alli como lo dyxo suyo era el cuydado

Non lo de tiene por nada alfonsso el castellano

En bia sus cartas pera leon alsã yaguo

Alos portogaleses ya galizianos

E alos de carrion ya barones castellanos

Q̃ cort fazie en tolledo aql Rey ondrado

A cabo de vij semanas q̃ y fuessen iuntados

Qui non biniesse ala cort non se touiesse por su vassallo

Por todas sus tierras assi lo yuan penssando

Q̃ non faliessen delo q̃ el Rey auye madado

Hya les ba pesando alos yfantes de carrion

Por q̃ el Rey fazie cort en tolledo

Miedo han q̃ y berna myo çid el campeador

Prenden so consseio assi parientes como son

Ruegan al Rey q̃ los qte della cort

Dyxo el Rey no lo fere sin salue dios

Cay berna myo çid el campeador

Dar ledes derecho ca rencura ha de uos

Qui lo fer non qsiesse o no ir a mi cort

Qite myo Reyno cadel non he sabor

Hya lo vieron q̃ es afer los yfantes de carrion

Prenden consseio parientes como son

El conde don garçia en estas nueuas fue

Enemigo de myo çid q̃ siempl busco mal

Aqsta cauallero los yfantes de carrion

Legaua el plazo qrien yr ala cort

En los primeros va el buen rey don alfonsso

El conde don anrrich y el conde don Remod

Aqste fue padre del buen enperador

El conde don ██████████ el conde don beltran

fueron y de lo ███ño otros muchos sabidores

De toda castiella todos los meiores

El conde don garçia con yfantes de carrion

E asur gonçalez y gonçalo assurez

E diego yferrando y son ados amos ados

E con ellos grand bando q aduyeron ala cort

Ebaan le cuydan a myo çid el campeador

De todas partes alli iuntados son

Avn non era legado el q enbuen ora naçio

Por q se tarda el Rey non ha sabor

Al qinto dia venido es myo çid el campeador

A ████ ████ adelant en bio

████ llas manos al Rey lo ██ñar

buen ██ sopiesse qe seria ella noch

████ lo ovo el Rey ████gol ██ coraçon

con grandes ██mes el Rey cuidaba

█████ saber alqs bue ora naçio

████ ████ vien█ █ el conde los bel

████ ██ conpaña q alli ██ ██ lauia

█ de todo soto el buen Rey don alfonsso

Firios arria myo çid el enpeador

Bitar se qere, ondrar alo señor

Qndo lo oyo el Rey por nada non tardo

Par sant esidro verdad non sera oy

Caualgad çid si non no auria ded saber

Saludar nos hemos dalma, de coraçon

Delo q auos pesa ami duele el coraçon

Dios lo mande q por uos se ondre oy la cort

Amen dixo myo çid el enpeador

Beso le la mano, despues le saludo

Qndo adios qndo uos veo señor

Omillom a uos, alconde de ....

Sal conde don arrich, a ...... ... lon.

Dios salue a nros amigos, a llos mas ......

En muy dona ximena d....a el de yuo

Beso nos las manos, mis fijas amas ados

desto q nos abino q uos pesa señor

Respondio el Rey si ..... sin salue dios

Ya uos dllade el ... ...nada ...

Esta noch myo çid uno no qlo quitar

Merçed ya Rey si el .... uos salue

Penssad señor de entrar ala çibdad

...... los myos gesar ... tan seruan

Las mis conpañas esta noche lgaran

Terne vigilia en aqste san logar

Cras mañana entrare ala çibdad

Cras ali .......... me ares de ....ar

Dixo el Rey plazme de voluntad

El Rey don alfonsso a colledo es entrado
Myo çid Ruy diaz en san seruan posido
Mando fazer candelas . poner enel altar
Sabor a de velar enella santidad
Al criador Rogando y fablando en poridad
En tre mynaya . los buenos q̃ y ha
Acordados fueron q̃ndo vino la man
Matines y p̃ma dixieron fazal alba
Suelta fue la missa antes q̃ saliesse el sol
E ssu ofrenda han fecha muy buena y coylida
Vos mynaya albarfanez el myo braço meior
Vos yredes comigo . el obispo don iheronimo
E po bermuez . aq̃ste muño gustioz
E fi antolinez el burgales de pro
E albar albarez y albar saluadorez
E martin munoz q̃ en buen punto naçio
E myo sobrino felez munoz
Comigo yra mal anda q̃ es bie sabidor
E galind garçiez el bueno daragon
Con estos cuplansse çiento delos buenos q̃ son
Velmezes vestidos pa sufrir las guarnizones
De suso las louigas tã blancas como el sol
Sobre las louigas arminos y peliçones
E q̃ non parescan las armas bie p̃sos los cordones
Solos mantos las espadas dulçes y taiadores
Da aq̃sta guisa q̃iero yr ala cort

par de mandar mios derechos; dezir mi Raçõ
Si desobra buscaren yfantes de carrion
do tales ciento couier bien sere sin pauor
Respondieron todos nos ello qremos señor
Assi como lo adicho todos adobados son
Mios çid nõ tiene par nada el q en buen ora naçio
Calças de buen paño en sus camas metio
Sobrellas vnos çapatos q a grant huebra son
vistio camisa de rançal tan blanca como el sol
Con oro y con plata todas las plis son
al puño bien estan ca el selo mando
Sobrella vn brial prmo de çiclaton
Obrado es con oro pareçen poro son
Sobresto vna piel vermeia las bandas doro son
Siemp la viste myo çid el campeador
vna cofia sobre los pelos dun escarin de pro
Con oro es obrida fecha por Razon
q non le contalassen los pelos al buẽ çid campeador
La barba abie luenga, psola con el cordon
Por tal lo faze esto q recabdar qere todo lo suyo
Desuso cubrio vn manto q es de grant valor
Enel abrien q ver quntos q y son
Con aqstos ciento q adobar mando
Apriessa caualga de san seruan salio
Assi yua myo çid adobado alla care
Ala puerta de fuera des caualgo a sabor
Cuerda mientra entra myo çid con todos los sos

El ya en medio delos. sedie aderredor...
çndo lo vieron entrar al q en buen... mãdo...
Leuantos en pie el buen Rey don Alfonsso...
E el conde don anrrich . y el conde don...
E desi adelant sabet todos los otros
Agrant ondra lo Reçiben al q en buen...
Esos aso leuantar el crespo...
çon todos los del bando de yfantes de carrio
El Rey diro al cid benid aca ser campeador
En aqste esçanno qmdiestes uos en don
Cõmçer q algunos pesa mejor sodes q nos
Alloa diro muchas merçedes el q baluaa gano
Sed en uro esçanno como Rey e sennor...
aca posare con todos aqstos mios
Ao q diro el cid al Rey plogo de coraçon
En un esçanno tornino esso a nuestro cid poso
Los çientos ql aguardan posan aderredor...
çatando estan amio cid qntos ha enla cort
Ala barba q auie luenga. ela conel cordon
En los ayutamientos bien semeia barõ
Nol pueden catar de verguença yfantes de carr
Esora se leuo en pie el buen Rey don alfonss
Oyd mesnadas sinos vala el criador
Ho de q fu Rey non fiz mas dos cortes
La una fue en burgos. la otra en carrion
Esta terçera a toledo la vin fer oy
por el amor de mio çid el q en buen ora naçi
q Reçiba derech...

rrezba derecho de yfantes de carrion

ffande tuerto le han tenido sabemos lo todos nos

alcaldes sean desto el conde don anrrich, el conde don Remod

e estos otros condes que del vando non sodes

sodes mered y tuertos ca sodes conoscedores

Por escoger el derecho ca tuerto non mando yo

della y della part en paz seamos oy

uro par sant esidro el que boluiere my cort

ytar me a el Reyno perdera mi amor

con el que uençiere derecho yo della parte me lo

Agora demande myo çid el campeador

sabremos que responden yfantes de carrion

Myo çid la mano beso al Rey y en pie se leuanto

mucho uos lo gradesco commo a Rey y a seño

Por quanto esta cort fizestes por mi amor

esto les demando yfantes de carrion

Por mis fijas quem dexaron yo non he desonor

ca uos las casastes Rey sabredes que fer oy

............................................... de valençia la mayor

............................................................................

............................................................................

............................................................................

............................................................................

............................................................................

............................................................................

............................................................................

Otorgan los alcaldes tod esto es razon.
Dixo el conde don garçia a esto nos fablemos
Essora salien aparte yfantes de carrion
Con todos sus parientes y el vando q̃ y son
Apriesa lo yuan trayendo, acuerdan la razon
Un grand amor nos faze el çid campeador
Qñdo desondra desus fijas nõ nos demanda oy
Bien nos abendremos con el Rey don alfonsso
Demos le sus espadas qñdo assi finca la boz
E qñdo las touiere partir sea la cort
Ya mas non aura derecho de nos el çid canpeador
Con aq̃sta fabla tarnaron ala cort
Merçed ya Rey don alfonsso sodes nr̃o señor
Nolo podemos negar ca dos espadas nos dio
Qñdo las demanda, dellas ha sabor
Dar gelas q̃mos dellant estando uos
Sacaron las espadas colida, tizon
Pusieron las en mano del Rey so señor
Saca las espadas, relumbra toda la cort
Las maçanas, los arriazes todos doro son
Marauillan se dellas todos los omnes buenos dela co
Recibio las espadas las manos le beso
Tornos al escaño don se leuanto
En las manos las tiene, amas las cato
Nos le pueden camear ca el çid bien las connosçe
Alegros le todel cuerpo sonrrisos de coraçon
Alçaua la mano ala barba se tomo
Par aq̃sta barba q̃ nadi non messo

Allis yuan vengando don eluira & doña sol
A so sobrino por nonbrel lamo
Tendio el braço la espada tizon le dio
Prender la sobrino a meiora en señor
A martin antolinez el burgales de pro
Tendio el braço el espada colada.l dio
Martin antolinez myo vassalo de pro
Prended a colada ganela de buen señor
Del conde de remont berengel de barçilona la mayor
Por ello uos la do q̃ la bien curiedes uos
Se q̃ si uos acaeçiere cõ ella ganaredes grãd prez & grãd valor
Besol la mano el espada tomo & reçibio
Luego se leuanto myo çid el campeador
Grado al criador & a uos señor rey señor
Ya pagado lo de mis espadas de colada & de tizon
Otra rencura he de yfantes de carrion
Qn̄do sacaron de balençia mis fijas amas e ados
En oro & en plata tres mill marcos de plata les dio
Yo faziendo esto elles acabarõ lo so
Den me mis aueres q̃ndo myos yernos non son
A q̃ veriedes q̃xar sí yfantes de carrion
Dize el conde don remõd dezid de si o de no
Essora responden yfantes de carrion
Por ellol diemos sus espadas al çid campeador
On al no nos demandasse q̃ aq̃ finco la boz
Si ploguiere al rey alli dezimos nos dixo el rey
A lo q̃ demanda el çid q̃l rrecudades uos

Dixo el buen rey ... mucho ... oy ...
Dyre albarfanez leuantados en pie el gid campeador
Destos auere q uos dı en tierra ...  dadas ...
Villos Cilien a parte ... Cuente ... q ... m ...
... Lauedan en Valencia ... los hunteros ... q ... don
Cuqueles los Seys Ç<...> las de co ... q ...
Comen con el ... Sallen ... a Saber
Quiero ... Çuer al ... Valencia ... que
Sonde Se ... en Calerca ... allı ... gede Sabor
... ol hamos De ... q ... caualıa De ...
... leron los alcaldes ... gede m...
... la ...
... en mo ... allı ... ...
Q ... lo en ... Dentro ...
... sus palabras Dıllo el Rey ... Alfonso
Dıos buen la Cubertos a gıllı ...
... derecho Demandar al ... ...
Dellos ... mıll mar ...
... unos mela ...
Canar gelos ... en ... las ...
... en ... a myo Çıd el q ... au nacıo
... ellos los an apechar ... gelos Dere ...
... firo faruingonçalez ... monedadas ... renemos ...
Luego ... el conde don Remō
Al mō ... la plata espendıstes lo vos
gelos ... lo damos antel Rey don alfonso
... gen le en apreadura ... ındılo el enperador
... ya Vıere q el ... los ...

Tanta gruessa mula tanto palafre de sazon
Tanta buena espada con toda guarnizon
Sonbiolo myo çid el que en buen ora nasco
Sobre los dozientos marcos leuolo el Rey alfonsso
pagaro los otros al q̃ en buen ora nasco
En plan les dto agena q̃ no les cumple lo suyo
 & al sopan grandes suteo desta maña
Estas apreduras myo çid presas las ha
los otros las tienen dellas pensaro
Maguer ello esto ouo acabado penssaron luego al
Merçed ay Rey señor por amor de caridad
La rencura mayor non se me puede olbidar
Oyd me toda la cort & pese uos de myo mal
Delos yfantes de carrion q̃m deshondraron tan mal
menos ... ... no los puedo dexar
dandesudas ... yfantes en juego o en uero
Jan alqul la uos aq̃lo mejorare a juyzio dela cort
Aqin desnudastes las piles del armño
A la salida de valençia mis fijas uos di yo
Con muy grand ondra & aueres a nombre
Quado las non queriades ya canes traydores
Por q̃ las sacades de valençia sus honores
A q̃ las feriestes a cinchas & a espolones
Solas las dexastes enel Robredo de corpes
A las bestias fieras & a las aues del mont
por quato les fiziestes menos ualedes uos

Si non recudedes vea lo esta cort

El conde don garcia en pie se leuantaua

Merced ya rey el meior de toda españa

vetos muo çid allas cortes p̃gonadas

dexola creçer . luenga te . la barba

los vnos le han muedo . los otros espanta

los de carrion son de natura tal

non gelas deuien q̃rer sus fijas por barraganas

q̃en gelas diera por pareias o por veladas

derecho fizieron por q̃ las han dexadas

quanto el dize non gelo p̃çiamos nada

essora el campeador p̃sos ala barba

grado adios q̃ çielo . tra manda

por esso es luenga q̃deliçio fue criada

q̃ auedes uos conde por retraer la mi barba

ca de q̃ndo nasco adeliçio fue criada

ca non me p̃so aella fijo de mug̃ nada

nimbla messo fijo de moro nin de xana

cōmo yo auos conde enel castiello de cabra

q̃ndo pris acabra . auos por la barba

non youo rapaz q̃ non messo su pulgada

la q̃ yo messe aun non es eg̃uada

ferrangonçalez en pie se leuanto

Altas bozes ondrados q̃ fablo

dexassedes nos çid deaq̃sta razon

de uр̃os aueres de todos pagados sodes

non creçies barata entre nos ; uos

De natura somos de condes de carrion.
Deuemos casar con fijas de Reyes o de enperadores
Ca non perteneçien fijas de yfançones
Por q las dexamos derecho fiziamos nos
Mas nos preçiamos sabet q menos no
Myo çid Ruy diaz a po vermuez cata
Fabla pero mudo varon q tanto callas
Hyo las he fijas, tu primas cormanas
Ami lo dizen ati dan las orejadas
Si yo respondier tu non entraras en armas
Pero vermuez conpeço de fablar
Detienes le la lengua non puede delibrar
Mas quando enpieça sabed nol da vagar
Direuos çid costubres auedes tales
Siemp en las cortes po mudo me lamades
Bien lo sabedes q yo no puedo mas
Por lo q yo ouier afer por mi no mincara
Mientes ferrando de qnto dicho has
Por el canpeador mucho valiestes mas
Las tus mañas yo telas sabre contar
Miembrat qndo lidiamos çerca valençia la grant
Pedist las feridas pmeras al canpeador leal
Vist vn moro fustel en lidiar anos firiste q antes algaraues
Di yo no vi mas el moro te pagara mal
Passe por ti con el moro me off de aiuntar
Delos pmeros colpes of le de arrancar
Did el cauallo touel do en poridad
Fatta este dia nolo descubri a nadi

Delant mio çid e delante todos ouistes te de alabar

Q matasme el moro e fiziestas barnar

Crouiero telo todos mas non saben la verdad

Q eres fermoso mas mal barragan

Lengua sin manos cuemo osas fablar

Di ferrando otorga ella razon

Por ti brienne en miedo en valença del leon

Quando durmie myo çid e el leon se desato

e tu ferrando que fist con el pauor

Perdist tus el escaño o myo çid el campeador

que ...us fermoso pero menos bales oy

que cercames el escaño por turar nuestro señor

fasta do desperto myo çid el q valença gaño

Leuantos del escaño e fues poral leon

El leon premio la cabeça a myo çid esper

Dexos le prender al cuello e a la red le metio

Quando se torno el buen campeador

a sos vassallos violos a derredor

demando por sus yernos ninguno no fallo

Reptedo el cuerpo que mals e por traydor

Hyo lidiare aqui antel Rey don alfonsso

por fijas del çid don eluira e doña sol

por quanto las dexastes menos baledes vos

ellas son mugieres e vos sodes varones

en todas guisas mas valen que vos

Quando fuere la lid si ploguiere al criador

Iuḫo con razon a guisa de memorado
De quito he dicho vençudos sodes yo
Ya ầtos amos aci ặ do lo ụ̃reas
Diego gonçalez sorreaẹ̃s lo ặ digo
De natura somos de los condes mas limpios
Estos casmiẹtos non fuessen apareados
ụ̃a enlazaçar con ṁjas d̄ dõ̃ Rodrigo
ụ̃a ặ d̄retios ﬆus fijas ậ es ṁo nos ṗ̃ ençimos
ậ sẹdẹrẹ̃ ặ brijan puedan a nos lạ̃pirẹ̃
Esto a lo ﬆa̾emos por los ḫ ... d̃ ellas lidiare ... el mas ardido
ậ por ặ las derạmos ordẹadas ẹ̃mos nos
Martin aṅtoliṅez en pie ﬆ leuantaua
Cale dizuaﬆo boculen hoͤdeͤs
ḅod̃ ḷeon non ﬆe el dᵒͤ̃ olhdar̃
ﬆalﬆte por la puerta meriﬆ̄ al coͤal
ﬆ ﬆﬆes ṃatẹr uṫẹ la uiga lḥͤ̃
ﬆﬆjas non ﬆﬆﬆ d manto nij el brial
uyello lidiare non ﬆﬆﬆ̃ a paz al
fijas del cid ṗ̃ ặ las ṗ̃ d̄xﬆﬆ
Estonies iﬆſao ﬆbed ặ nas bala̾ ặ uos
Al partir dela lid ṗ̃ ﬆu boca lo ṗ̃ͤ ...
ﬆ ﬆ ẹﬆ̃gudẹ y ṁ̃ỹ ... ặ̃ﬆ dicḥ ḥas
De hạ ṁ̃os la ﬆazon ﬆudo
ﬆ ﬆ̃galez entrẹua por el palaçio
ﬆ̃ha ﬆ̃ṁ̃os̃ ẹ̃ brial ﬆﬆﬆdo
ﬆ̃ ﬆ̃ﬆ̃ uẹ̃ụ̃ es em almaﬆ̃

En lo ꝗ fablo aue poco recabdo

¶ya varones ꝗen vio nunca tal mal

¶ꝗen nos darie nueuas de myo çid el de biuar

fuelle a pie douina los molinos picar

e ꝓnder maꝗlas como lo suele far

ꝗl darie con los de carrion a casar

¶ffara muno guftiez en pie se leuanto

¶ala aleuoso malo τ trraydor

¶antes almuerças ꝗ vayas a oraçion

¶a los ꝗ das paz fartas los aderredor

¶non dizes verdad amigo ni ha señor

fallso a todos τ mas al criador

¶en tu amiſtad non ꝗero aver raçion

ffazer telo dezir ꝗ tal eres al dꝛgo yo

¶oꝛo el rey alfonsso calle ya eſta razon

¶los ꝗ an rebtado lidiaran sin saluec dios

¶th como acaban eſta razon

¶ffe dos caualleros entraron poꝛ la cort

¶al vno dizꝛ oiarra τ al otro venego simenez

¶el vno es yfante de nauarra

τ el otro yfante de arꝛagon

¶besan las manos al rey don alfonsso

¶piden sus fijas a myo çid el campeador

¶poꝛ ser reynas de nauarra τ de arꝛagon

τ ꝗ gelas diessen a ondra τ a bendiçion

A esto callaron & ascucho toda la cort
Leuantos enpie myo çid el campeador
Merçed Rey alfonsso vos sodes myo señor
Esto gradesco yo al criador
Quado melas demandan de nauarra & de aragon
Dar las queistes antes ca yo non
Afe mis fijas en uras manos son
Sin uro mandado nada non fere yo
Leuantos el Rey fizo callar la cort
Ruego uos çid caboso campeador
Que plega auos & atorgar lo he yo
Este casamiento oy se otorge en esta cort
Ca creçe uos y ondra & tirra & onor
Leuantos myo çid al Rey las manos le beso
Quando auos plaz otorgo lo yo señor
Alla dixo el Rey dios uos de den buē galardon
A uos oiarra & auos yenego ximenez
Este casamiento otorgo uos le yo
De fijas de myo çid don eluira & doña sol
Para los yfantes de nauarra & de aragon
Que uos las de & ondra & a bendiçion
Leuantos enpie oiarra & yenego ximenez
Besaron las manos del Rey don alfonsso
& despues de myo çid el campeador
Metieron las fes & los omenaies dados son
Que cuemo es dicho assi sea ō meior

A muchas plaze de tod esta cort
Mas non plaze alos yfantes d carrio
Mynaya albañez en pie se leuanto
Merced uos pido como a Rey y a señor
Q non pese esto al çid campeador
Bien uos di uagar en toda esta cort
Dezir querria ya qnto delo myo
Dixo el Rey plame de corazon
Demd mynaya lo q ouieredes sabor
Hyo uos Ruego q me oyades toda la cort
Ca grand rencura he de yfantes d carrio
Hyo les di mis fijas por mano del Rey
Ellos las prieron a ondra y a bendizion
Grandes aueres les dio myo çid el campeador
Ellos las han dexadas apesar de nos
Riebtos les los cuerpos por malos y por traydores
De natura sodes delos de vanigomez
Onde salien condes de prez y de valor
Mas bien sabemos las mañas q ellos han
Esto gradesco yo al criador
Quando piden mis fijas don eluira y doña sol
Los yfantes de nauarra y de aragon
Antes las auiedes pareias pora enbraços las tener
Agora besaredes sus manos y lamar las hedes señoras
Auer las hedes aseruir mal q uos pese auos
Grado a dios del çielo y al Rey don alfonso

nos acemos la ostra ante ad el campeador

damos en las otras todos ques dizo yo

mas a pensada odro se no

yo lo albaytanes pora fazel meior

gomez pelayet en pie se leuanto

que biel ammena toda ella sazon

dadme que abere ha pora uos

fa al castello sere su oracion

dixos que dexa uos bno lugamos nos

falipues bordes que dineros os no

oyo el rey fiere ella sazon

yon diga ninguno della mio bna oreienen

mas far labo ende sabare el fol

dallos us pennes que sennan en la ar

fuego fablaret fablaron ysantes de carrion

dardos rey quiero en eras ser non puede

armas cauillos tienen los del campeador

los enal abremos assi arinas de carrion

fablo el rey con al campeador

bos esta lid omandaredes uos

gnes lesa dixo mio cid no la fare senor

mas quero a valenza que ternes de carrion

enellour dixe el rey acidas campeador

dat me uos cauillos con todas uras guarnizones

vayan comigo yo sere el curador

ayo uos lo sobreleuo como bue vasallo fare asenor

qui non prdan fuerza de conde nin de yfangon

aq̄ les pongo plazo de dentro en mi cort

Al cabo de tres semanas en begas de carrion

Q̃ fagan esta lid delant estando yo

Q̃en non vimere al plazo pierda la razon

Desi sea uencido ᐧ escape por traydor

Prisieron el juizio yfantes de carrion

Myo çid al Rey las manos le beso ᐧ dixo plazme

Estos mis tres cauallos en uña mano son

Ca q̄ uos los acomiendo como a Rey ᐧ a señor

Ellos son adobados para cumpllir todo lo so

Madados ᐧ melos en bud a balençia por amor del c̄

Essora despidos el Rey alli lo made dios

Alli se tollio el capielo el çid campeador

La cofia de rançal q̄ blanca era como el sol

E sotaua la barba ᐧ sacola del cordon

Nos fartan de catarle q̃tos ha en la cort

A delino a el el conde don anrrich ᐧ el c̄de d̄ remõd

Abraçolos tã bie ᐧ suegra los de coraçon

Q̄ p̃ndan de sus aueres q̃nto ouiere sabor

A ellos ᐧ a los otros q̄ de buena parte son

A todos los Rogaua alli como han sabor

Tales ya q̄ p̃nden tales ya q̄ non

Los ᴄ ᴄ marcos al Rey los soltro

De lo al tanto p̃so q̃nt ouo sabor

Merçed uos pido Rey por amor del çador

Q̃do todas estas nueuas alli puestas son

Beso uras manos con ura graçia señor

Yr me quiero para balençia con afan la gane yo

El Rey alço la mano la cara se sentigo
Hyo lo juro par Sant esidro el de leon
Que en todas nuestras trras non ha tan buen baron
Mio çid enel cauallo adelant se lego
fue beser la mano a so senor alfonsso
Mandastes me mouer abauieca el corredor
En moros ni en crstianos otro tal non ha oy
Hyo uos le do en don mandede le tomar senor
Essora dixo el Rey desto non he sabor
Siuos le tolles el cauallo no haurie tan buen senor
Mas atal cauallo cum est pora tal como uos
Para arrancar moros del campo & ser segudador
Quen uos lo toller quiere nol uala el criador
Ca por uos & por el cauallo ondrados somo nos
Essora se espidieron & luegos partio la cort
El campeador alos que han lidiar tan bien los castigo
Hya martin antolinez & uos pero bermuez
& muno gusttioz firmes sed en campo aguisa de varones
Buenos mandados me uayan a valençia de uos
Dixo martin antolinez por q lo dezides senor
prerelo auemos el debdo & a passar es por nos
podedes oyr de muertos ca de bencidos no
Alegre fue da questo el q en buen ora nasco
Fiçieros de todos los q son amigos son
Adios gd pora valençia & el Rey pora carrion

E e tres semanas de plazo todas complidas son
Felos al plazo los del campeador
Cunplir queren el debdo que les mando so señor
Ellos son enpder del Rey don alfonsso el de leo
Dos dias atendieron a yfantes de carrion       nes
Mucho vjene bien adobados de cauallos, de guarni
E todos sus parientes con ellos son
Que si los pudiessen apartar alos del campeador
Que los matassen en campo por desondra de so señor
El cometer fue malo que lo al nos enpeço
Ca grand miedo ouieron a alfonsso el de leo
De noche belaron las armas, Rogaron al criador
Trocida es la noche ya quebran los albores
Muchos se juntaron de buenos Ricos omnes
Por ver esta lid ca abien ende sabor
De mas sobre todos yes el Rey don alfonsso
Por querer el derecho, non consentir el tuerto
Yas metien en armas los del buen campeador
Todos tres se acuerdan ca son de vn señor
En otro logar se arman los yfantes de carrio
Sedielos castigando el conde garçiordonez
Andidieron en pleyto dixieron lo al Rey alfonsso
Que non fuessen en la batalla las espadas tajadores
Colada y tizon que non lidiassen con ellas los del cãp̄
Mucho eran Repentidos los yfantes por quãto dadas l
Dixierõ gelo al Rey mas non gelo conloyo
Non sacastes ninguna quãdo ouiemos la cor

Si buenas las tenedes pro abran a uos
Otro si faran alos del campeador
Leuad ysalid alcampo yfantes de carrion
Huebos uos es q lidiedes aguisa de uarones
Q nada non mancara por los del campeador
Si del campo bie salides grand ondra auredes uos
Ossi fueres uençidos non rebtedes a nos
Ca todos lo saben q lo buscastes uos
Aya seuan Repintiendo yfantes de carrion
Delo q auien fecho mucho Repisos son
Nolo qrrien auer fecho por qnto ha en carrio
Todos tres son armados los del campeador
Hyua los uer el Rey don alfonsso
Fablaron los del campeador
Besamos uos las manos como aRey y a señor
Q fiel seades oy dellos y de nos
Aderecho nos ualed aningun tuerto no
Aq tienen su uando los yfantes de carrion
Non sabemos qs comidran ellos oq non
En uta mano nos metio nro señor
Tenendos aderecho por amor del cador
Essora dixo el Rey dalma y de coraçon
Aduzen les los cauallos buenos y corredores
Santiguaron las siellas y caualgan a uigor
Los escudos alos cuellos q bien blocados son

E mano prenden las astas delos fierros tajadores
Estas tres lanças tienen seños pendones
E derredor dellos muchos buenos varones
Hya salieron al campo do eran los mojones
Todos tres son acordados los del campeador
Que cada uno dellos bien fos ferir el fo
Euos dela otra part los yfantes de carrion
Muy bien aconpañados ca muchos parientes fon
El rey dioles fieles por dezir el derecho val non
Que non baragen con ellos defi o de non
Do fedien enel campo fablo el rey don alfonso
Oyd que uos digo yfantes de carrion
Esta lid en toledo la fizierades mas non quifiestes uos
Estos tres cauallos de myo çid el campeador
Hyo los aduix a faluo aquien de carrion
Auedes uro derecho tuerto non querades uos
Ca qui tuerto quifiere fazer mal gelo vedare yo
Arrodo myo reyno non avra buena fabor
Hya les va pefando alos yfantes de carrion
Los fieles e el rey enfeñaron los mojones
Librauan fe del campo todos aderredor
Bien gelo demostraron a todos feys como fon
Que por fi faben qual es quien cae en fu fegmon
Todas las yentes efcurriendo aderredor
Ablas puntas de las lanças que non crollen al mojon
Ametanai los alguaziles partian el...
Allin los fieles fobre ellos fon...

Desi vinien los de myo çid alos ifantes de carrion
ellos ifantes de carrion alos del campeador
Cada uno dellos mientes tiene al so
Abraçan los escudos delant los coraçones
Abaxan las lanças abueltas con los pendones
En clinauan las caras sobre los arzones
Batien los cauallos con los espolones
Tembrar querie la tierra dod eran mouedores
Cada uno dellos mientes tiene al so
Todos tres por tres ya juntados son
Cuedan se q ellos a dañan muertos los q estan aderredor
Pero vermuez el q antes rebto
Con ferran gonçalez de cara se junto
Firiense en los escudos sin todo pauor
Ferran gonçalez a po vermuez el escudol passo
Prisol en vazio en carne nol tomo
Bien en dos logares el astil le quebro
Firme estido po vermuez por esso nos encamo
Un colpe reçibiera mas otro firio
Crebanto la boca del escudo a part gela echo
Passo gelo todo q nada nol valio
Metiol la lança por los pechos q nada nol valio
Tres dobles de loriga tenie fernando aquesto lo
Las dos le desmanchan e la tercera finco
El belmez con la camisa e con la guarnizon
A dentro en la carne una mano gela metio
Por la boca afuera la sangrel salio

Hbrieron le las anchas ninguna nol ouo pro

Por la copla del cauallo en tria lo echo

Assi lo tenien las yentes q̃ mal ferido es de muo[rt]

El dexo la lança y al espada metio

Qndo lo vio ferrango[nçalez]

Antes q̃ el colpe esperasse dixo vençudo so

Atorgaron gelo los fieles p̃o vermuez le dexo

Martin antolinez y diego gonçalez firieñ se dlas ta[...]

Tales fueron los colpes q̃ les q̃braron las

Martin antolinez mano metio al espada

Relumbra tod el campo tanto es limpia y clara

diol vn colpe de trauiesso[l] tomaua

El casco de somo aparte gelo echaua

las monclu̅as del yelmo todas gelas cortaua

Alla leuo el almofar fata la cofia legaua

Ya cofia y el almofar todo gelo leuaua

Raxol los pelos dela cabeça bie̅ ala carne[...]

Lo vno cayo enel campo y lo al suso fincaua

Qndo este colpe a ferido colada la p̃çiada

vio diego gonçalez q̃ no escapurie co̅ el alma

Boluio la rienda al cauallo por tornasse a[...]

Essora martin antolinez reçibiol co̅ el esp[...]

vn colpel dio delano co̅ lo agudo nol tomaua

Diagonçalez espada tiene en mano mas [...]

En saluaua

Essora el ynfante tan grandes vozes daua
valme dios glioso señor y curiam desta espada
El cauallo alotrienda y mesurandol del espada
Sacol del moio mu antolinez en el campo fincaua
Essora dixo el rey venid uos ami compaña
Por esto auedes fecho vençida auedes esta batalla
Otorgan gelo los fieles q dize verdadera palabra
Los dos han arrancado dixolos de muno gustioz
Con assur gonçalez como se adobo
firiensen en los escudos vnos tan grandes colpes
Assur flez furçudo y de valor
firio enel escudo adon muno gustioz
Tras el escudo falsso gela guarnizon
En vazio fue la lança ca en carne nol tomo
Este colpe fecho otro dio muno gustioz
Tras el escudo falso gela guarnizon
Por medio dela boca del escudol qbranto
Nol pudo guarir fallso gela guarnizon
Apart le priso q non cabel coraçon
Metiol por la carne adentro la lança conel pendon
Dela otra part vna braça gela echo
Con el dio vna tuerta dela siella lo en camo
Al tirar dela lança entierra lo echo
Vermeio salio el astil, la lança y el pendon
Todos se cuedan q ferido es de muert
La lança recombro y sobrel se paro

Dixo goncalo alluuez nol firgades por dios

Vençudo es el campo qñdo esto se acabo

Diruron los fieles esto oymos nos

Mande librar el canpo el buē Rey don alfonsso

Las armas q̃ y Rstaron el selas tomo

Por ondrados se parten los del buē campeador

Vençaron esta lid grado al criador

Grandes son los pesares por tierras de carrió

Al Rey alos de myo çid de noche los en bio

Q̃ noles diessen salto nin ouiessen pauor

A guisa de menbrados andan dias y noches

felos en valencia con myo çid el campeador

Por malos los dexaron alos yfantes de carrió

Conplido han el debdo q̃ les mando so señor

Alegre fue daq̃sto myo çid el campeador

Grant es la bihana ... ...

El buena dueña ... ...

Atal le contieçea oli ... ...

Dexemos nos de pleytos de ... de carrió

Delo q̃ an pño mucho an mal saban

Fablemos nos da q̃ste q̃ en buē ... naçe

Grandes son los gozos en valencia la ...

Por q̃ tan ondrados fuerō los del campeador

Prisolos ala barba Ruy diaz so señor

Grado al Rey del çielo mis fijas vengadas son

Agora las ayan quitas heredades de carrion

Sin verguença las casare o a qui pese o a qui non

Andidieron en pleytos los de navarra & de aragon

Ouieron su ayunta con alfonsso el de leon

Fizieron sus casamientos con don eluira & con doña sol

Los primeros fueron grandes mas aquestos son miiores

A mayor ondra las casa que lo que primero fue

Ved qual ondra creçe al que en buen ora naçio

Quando señoras son sus fijas de navarra & de aragon

Oy los Reyes d'españa sos parientes son

A todos alcança ondra por el que en buen ora naçio

Passado es deste sieglo el dia de çinquesma

De xpo aya perdon

Assi fagamos nos todos iustos & peccadores

Estas son las nuevas de myo çid el campeador

En este logar se acaba esta Razon

Quien escriuio este libro del dios paraiso amen

Per abbat le escriuio en el mes de mayo

Recebj yo martin blanco q[ue]  [l]braçodela
bista del c[on]s[ejo] co[n] s[e]tenta yquatro
[h]oras en todo dell

SE ACABO DE IMPRIMIR ESTA EDICION FACSIMIL
DEL POEMA DE MIO CID, EL DIA 6 DE MAYO
DE 1977, PATRON DE ARTES GRAFICAS, EN LOS
TALLERES DE GAEZ, S. A. ARTES GRAFICAS,
ARGANDA DEL REY (MADRID)